A GUERRA NO BOM FIM

Livros do autor publicados pela **L&PM** Editores:

Uma autobiografia literária – O texto, ou: a vida
Cenas da vida minúscula
O ciclo das águas
Os deuses de Raquel
Dicionário do viajante insólito
Doutor Miragem
A estranha nação de Rafael Mendes
O exército de um homem só
A festa no castelo
A guerra no Bom Fim
Uma história farroupilha
Histórias de Porto Alegre
Histórias para (quase) todos os gostos
Histórias que os jornais não contam
A massagista japonesa
Max e os felinos
Mês de cães danados
Minha mãe não dorme enquanto eu não chegar e outras crônicas
Pai e filho, filho e pai e outros contos
Pega pra Kaputt! (com Josué Guimarães, Luis Fernando Verissimo e Edgar Vasques)
Se eu fosse Rothschild
Os voluntários

MOACYR SCLIAR

A GUERRA NO BOM FIM

www.lpm.com.br

L&PM POCKET

Coleção **L&PM** POCKET, vol. 352

Texto de acordo com a nova ortografia.

A primeira edição deste livro pela L&PM Editores foi publicada em 1981, em formato 14x21cm. Também disponível em edição com capa dura (2013).
Primeira edição na Coleção **L&PM** POCKET: março de 2004
Esta reimpressão: junho de 2019

Capa: Ivan Pinheiro Machado. *Ilustração*: Edgar Vasques
Revisão: L&PM Editores
Ensaio biobibliográfico e apresentação: Regina Zilberman

CIP-Brasil. Catalogação na fonte
Sindicato Nacional dos Editores de Livros, RJ

S432g

Scliar, Moacyr, 1937-2011
    A guerra no Bom Fim / Moacyr Scliar; [ensaio biobibliográfico e apresentação Regina Zilberman]. – Porto Alegre, RS: L&PM, 2019.
    144 p. ; 18 cm. (Coleção L&PM POCKET)

ISBN 978.85.254.1321-5

1. Ficção brasileira. I. Zilberman, Regina, 1948- II. Título.

13-05267	CDD: 869.93
	CDU: 821.134.3(81)-3

© 2013 herdeiros by Moacyr Scliar

Todos os direitos desta edição reservados a L&PM Editores
Rua Comendador Coruja, 314, loja 9 – Floresta – 90.220-180
Porto Alegre – RS – Brasil / Fone: 51.3225.57770

Pedidos & Depto. Comercial: vendas@lpm.com.br
Fale conosco: info@lpm.com.br
www.lpm.com.br

Impresso no Brasil
Outono de 2019

Sumário

Moacyr Scliar: a vida é a obra
Regina Zilberman 7

Apresentação: A guerra de Joel
Regina Zilberman 17

A guerra no Bom Fim 19

Moacyr Scliar: a vida é a obra

*Regina Zilberman**

Moacyr Scliar nasceu em Porto Alegre (RS), em 23 de março de 1937. Seus pais, José e Sara, eram europeus que migraram para a América em busca de melhor sorte. Judeus, haviam sido vítimas de perseguições em sua terra natal, e o Brasil se apresentava como nação acolhedora, que de modo amistoso e promissor recebia os que a procuravam.

Ele passou a maior parte da infância no Bom Fim, o bairro porto-alegrense onde se instalou a maioria dos judeus que escolheu a capital do Estado para morar. Estudou primeiramente na escola israelita; depois, no Colégio Rosário, concluindo o ensino médio no Colégio Estadual Júlio de Castilhos.

Datam deste tempo as primeiras experiências com a literatura. Também por essa época recebe

---

* Nasceu em Porto Alegre. Doutora em Romanística pela Universidade de Heidelberg, na Alemanha, com pós-doutorado na University College, University of London (Inglaterra), e na Brown University (Estados Unidos). É professora adjunta do Instituto de Letras da Universidade Federal do Rio Grande do Sul (UFRGS). Entre suas publicações se destacam: *Brás Cubas autor, Machado de Assis leitor* (UEPG, 2012), *A leitura e o ensino da literatura* (IBPEX, 2010) e *Fim do livro, fim dos leitores?* (Senac, 2009).

um prêmio literário, o primeiro de muitos que se sucederiam ao longo de sua vida. Mas, profissionalmente, decide-se pela medicina, em cuja faculdade ingressa em 1955. A medicina constitui igualmente a matéria de seu livro inaugural, *Histórias de médico em formação*, de 1962, ano em que concluiu o curso universitário. Doravante, as duas carreiras – a de escritor e a de médico – são percorridas juntas, complementando-se mutuamente.

O médico dedicou-se sobretudo ao campo da saúde pública, embora atuasse também como professor na Faculdade Católica de Medicina, atualmente Universidade Federal de Ciências da Saúde de Porto Alegre. A carreira docente iniciou em 1964, e em 1969, a de servidor da Secretaria Estadual da Saúde, onde atuou em campanhas voltadas à erradicação da varíola, da febre amarela e da paralisia infantil, entre outros males que afetavam o bem-estar da população, especialmente a de baixa renda.

Também são de contos os livros posteriores a *Histórias de médico em formação*: *Tempo de espera*, editado em parceria com Carlos Stein, de 1964, e *O carnaval dos animais*, de 1968, obra que julgava superior às precedentes. Com efeito, ali se encontra um contista maduro, consciente das características do gênero a que se dedica e de suas próprias potencialidades. Dentre essas, destacam-se a opção pela literatura fantástica e a escrita de narrativas curtas, antecipando o minimalismo propugnado pela corrente pós-modernista. Observa-se igualmente a introdução de personagens de origem judaica, seja o pensador Karl Marx, ficticiamente aposentado em Porto Alegre, seja o pequeno Joel, que, logo depois, protagonizará *A guerra no Bom Fim*, quando Moacyr Scliar estreia como romancista.

A guerra no Bom Fim aparece em 1972, importando algumas das características sugeridas em *O carnaval dos animais*. O alinhamento ao gênero fantástico é plenamente assumido, ao lado da exposição do cenário porto-alegrense, prometido desde o título da obra. Outra promessa de *O carnaval dos animais* se cumpre: personagens de origem judaica povoam o romance. Só que, de figuras colaterais, transformam-se em atores que centralizam a cena ficcional. O principal, como se observou, é Joel, mas, a seu lado, situam-se sua família, amigos, vizinhos, unidos pela pertença à etnia hebraica, pela procedência, pois migraram da Europa central para o Sul do Brasil, e por residirem no Bom Fim.

O exército de um homem só, de 1973, elege outra vez o Bom Fim como ambiente. Mas o bairro passa à condição de pano de fundo, salientando-se a personagem central, Mayer Guinzburg, conhecido como Capitão Birobidjan, dada sua fixação no comunismo soviético, que destinaria uma região junto aos rios Bira e Bidjan, na Sibéria, para acolher os judeus da Rússia, projeto frustrado, mas permanente na fantasia do herói.

Dois outros romances, *Os deuses de Raquel* e *O ciclo das águas*, de 1975, dão continuidade à temática vinculada à representação da vida judaica porto-alegrense. *Os deuses de Raquel* desloca a personagem para outro bairro da geografia de Porto Alegre, o Partenon, cujo nome, de procedência clássica, só faz salientar as idiossincrasias que a obra destaca, materializadas no comportamento da personagem principal. *O ciclo das águas*, também transcorrido em Porto Alegre, aprofunda o procedimento que tem em *A guerra no Bom Fim* uma de suas manifestações: a diferença de gerações, opondo os imigrantes, que não perderam suas marcas de origem, aos judeus nascidos no Brasil, que almejam assimilar-se, apagando os sinais que os associam a uma etnia nem sempre festejada.

Essa tônica alcança um de seus pontos altos em *O centauro no jardim*, de 1980. No relato da trajetória de Guedali Tartakovsky, identifica-se o travejamento básico da ficção de Scliar: o uso de elementos fantásticos – no caso, a criação de uma personagem que, sendo centauro, não é menos humano – e a presença da cultura judaica, cindida entre os herdeiros do passado europeu e os adaptados à vida brasileira, empurrados na direção de uma escolha entre uma das situações. Dois outros romances, *A estranha nação de Rafael Mendes*, de 1983, e *Cenas da vida minúscula*, de 1991, complementam o ciclo. O primeiro enfatiza o prisma histórico, destacando a participação dos judeus no passado brasileiro, marcado, também em nosso país, por perseguições e dificuldades de adaptação. O segundo recupera aspectos de *O centauro no jardim*, já que valoriza o enquadramento da narrativa à literatura fantástica; mas, ao importar personagens do Velho Testamento, como o rei Salomão, Scliar abre caminho para o veio, o dos enredos protagonizados por figuras bíblicas, que ocupa os derradeiros dez anos de seu percurso literário.

O ficcionista, contudo, não abandonou o conto, com que abrira sua caminhada de escritor. Em *A balada do falso Messias*, de 1976, volta ao relato curto, localizando as narrativas, exceção feita à que dá título ao livro, no mundo urbano e contemporâneo. *Histórias da terra trêmula*, de 1977, *O anão no televisor*, de 1979, *O olho enigmático*, de 1986, e *A orelha de Van Gogh*, de 1989, definem a contribuição de Moacyr Scliar ao gênero, como a mencionada opção pelo minimalismo. Outra de suas marcas é a presença de personagens que fogem à normalidade do cotidiano, apresentando anomalias sintomáticas dos desvios éticos ou psíquicos provocados por uma sociedade violenta e competitiva.

No conto, emerge o crítico da sociedade capitalista, cujas perversidades se materializam no comportamento ou na aparência extravagante dos heróis. A temática judaica passa para segundo plano, evidenciando o pluralismo das vertentes percorridas pelo ficcionista.

O pluralismo mostra-se igualmente quando se observam seus outros romances e novelas, nos quais se podem destacar duas linhas de ação. Em uma delas, Scliar vale-se da experiência como médico e pesquisador da área da saúde para criar personagens emblemáticas de sua profissão. O Marcos de *O ciclo das águas*, professor de História Natural preocupado com o bem-estar ambiental, antecipava essa tópica, mas ela se desdobra na criação de Felipe, o *Doutor Miragem* (1978). Jovem de origem humilde, ele tem ambições: sucesso na carreira e riqueza, o que acaba conquistando ao renunciar à ética profissional.

O ângulo social e militante da medicina mostra-se em outro romance, *Sonhos tropicais*, de 1992. Focado na trajetória de Osvaldo Cruz, o paladino da luta em prol da vacina contra a febre amarela e a varíola no Rio de Janeiro do começo do século XX, Scliar revela as dificuldades por que passa um profissional idealista. Que o escritor discorra sobre essas questões com conhecimento de causa indicam-no não outros livros de ficção, mas as crônicas publicadas na imprensa de Porto Alegre e os ensaios editados a partir de 1987, reunidos em *Do mágico ao social* (1987), *Cenas médicas* (1987) e *A paixão transformada* (1996).

Outra linha de ação da obra de Scliar diz respeito à abordagem de questões políticas, marcadamente as que se destacaram em nossa história. Em *Mês de cães danados*, de 1977, o ficcionista aborda o episódio conhecido como Legalidade, quando os gaúchos se mobilizaram no sentido de garantir a posse de João Goulart na presidência da República, sucedendo a Jânio Quadros, que renunciara ao cargo. Em *Cavalos e obeliscos*, de 1981, ele retrocede cronologicamente, para dar conta da participação – outra vez, dos rio-grandenses – na Revolução de 1930. *Max e os felinos*, do mesmo ano, situa o tema político em contexto geográfico mais amplo, pois o herói do título provém da Europa, deparando-se com a opressão do poder, a que se obriga a enfrentar, enquanto condição de garantir sua identidade. Em *A festa no castelo*, de 1982, episódios decorrentes do golpe militar de 1964 sugerem o pano de fundo da novela.

Pertence a essa linha de trabalho o último romance que Scliar publicou: *Eu vos abraço, milhões*, de 2010. Situando a ação nos anos 1930, à época em que Getúlio Vargas chegava ao poder e ao controle do Estado nacional, o ficcionista dá conta da trajetória de uma personagem de esquerda, seduzida inicialmente pela ideologia comunista, mas, aos poucos, desencantada com a burocracia do Partido, as dificuldades de transformar palavras em ação, a inacessibilidade dos dirigentes.

Contos, novelas e romances sugerem que o judaísmo não concentrou a produção integral de Moacyr Scliar. Mas, sem dúvida, as questões vinculadas à etnia hebraica, sua história, tradição e personalidades estiveram presentes em todos os passos de seu caminho. Em *Os voluntários*, de 1979, é o retorno a Jerusalém, meta sionista de uma das personagens, que move a trama, sendo o insucesso o sinal de que se trata de uma tarefa árdua para todos, judeus e não judeus. Também em *A majestade do Xingu* (1997) Scliar contrapõe duas personagens, para traduzir dois percursos colocados aos imigrantes judeus: o comércio, limitado e frustrante, corporificado pelo protagonista e narrador, e a militância política, sintetizada nas ações de Noel Nutels, o médico e indigenista que dedicou a vida a seus ideais. Em *Na noite do ventre, o diamante*, de 2005, também são imigrantes as figuras principais do enredo, pessoas que lutam por sua liberdade, ao buscar escapar da ameaça nazista.

Com *A mulher que escreveu a Bíblia*, de 1999, *Os vendilhões do templo*, de 2006, e *Manual da paixão solitária*, de 2008, Scliar afirma sua contribuição definitiva à literatura brasileira de temática judaica. Esses romances constroem-se a partir de personalidades paradigmáticas da Bíblia: Salomão, Jesus e Onam. Mas essas figuras, de passado histórico ou mítico, não protagonizam os enredos; retomando o processo narrativo experimentado em *Sonhos tropicais* e *A majestade do Xingu*, Scliar apresenta-os de modo colateral, sob o olhar de um outro, muito mais próximo do leitor.

Em *A mulher que escreveu a Bíblia* e em *Manual da paixão solitária*, esse olhar é conduzido por uma mulher; em *Os vendilhões do templo*, pelo modesto e anônimo mercador de objetos sagrados, cuja mesa fora derrubada pelo Cristo em visita à sinagoga de Jerusalém. O efeito desses encontros, porém, é definitivo, podendo ser, de uma parte, criativo, como ocorre à jovem autora das sagradas escrituras, de outra, devastador, como acontece ao comerciante. Mas nunca é indiferente, facultando a Scliar refletir sobre as consequências de atos de indivíduos de alguma grandeza sobre as pessoas comuns, que, diante dos marcos históricos, nem sempre sabem como reagir.

Além de patentear o pluralismo e a diversidade de sua escrita, Scliar dedicou-se a múltiplos gêneros. Contos, romances, novelas e ensaios enfileiram-se ao lado da crônica, exemplificada por *A massagista japonesa*, de 1984, ou da experiência com quadrinhos, como em *Pega pra Kaputt!*, de 1977, redação dividida com Josué Guimarães, Luis Fernando Verissimo e Edgar Vasques. Ele responsabilizou-se também por um número significativo de livros dedicados a crianças e jovens, alguns de cunho memorialista (*Memórias de um aprendiz de escritor*, de 1984), outros de orientação histórica (*Os cavalos da república*, de 1989; *O Rio Grande farroupilha*, de 1993), sem esquecer as adaptações de clássicos brasileiros (*Câmera na mão, O guarani no coração*, de 1998; *O mistério da casa verde*, de 2000; *O sertão vai virar mar*, de 2002). A maioria, porém, originou-se de sua imaginação, permitindo-lhe a interlocução com o leitor adolescente, que se deleita com *O tio que flutuava*, de 1988, *Uma história só pra mim*, de 1994, ou *O irmão que veio de longe*, de 2002, entre tantas histórias ricas de fantasia e entretenimento.

Tanta criatividade reunida não poderia deixar de ser premiada, o que ocorre em 2003 com a eleição unânime de Moacyr Scliar para a Academia Brasileira de Letras. Afinal, o escritor já então construíra um legado de mais de setenta livros. Sua fecundidade, porém, não se interrompeu, até que a morte veio buscá-lo em 27 de fevereiro de 2011.

Lê-lo desde então não é apenas a maneira de desfrutar sua obra, mas também de reencontrar um artista pleno que, com personagens e situações, enriqueceu o imaginário brasileiro por cinquenta anos.

Apresentação
A guerra de Joel

Regina Zilberman

No universo inventado por Moacyr Scliar em seu primeiro romance, o Bom Fim não é um bairro de Porto Alegre, mas um país independente. Não só humanos habitam o Bom Fim: há animais singulares, como a égua Malke Tube; e seres mágicos, como Nathan, que pode sobrevoar a região, avistado por Joel, seu irmão.

Nesse ambiente particular, as crianças parecem importar mais que os adultos. Afinal, são elas que defendem o país contra a invasão dos nazistas. Estes, imbatíveis no território europeu, de onde ambicionam eliminar os judeus, não conseguem vencer a resistência dos moradores do Bom Fim, nem mesmo quando se valem de espiões ou de poderosos equipamentos bélicos.

É desse modo que *A guerra no Bom Fim* mobiliza tanto elementos históricos quanto fantásticos. E, situando a maior parte da trama por volta de 1943, Scliar coloca seu romance em um prisma simultaneamente regional e internacional. Este é sinalizado pelos eventos transcorridos na Europa, quando a Alemanha dominava militarmente o continente e aprisionava judeus em campos de extermínio. O prisma regional é representado pela pequena colônia judaica que residia no Bom Fim, em Porto Alegre, e experimentava a aculturação de suas tradições aos hábitos locais.

Nesse ambiente, vive Joel, o protagonista do romance, que compartilha o espaço narrativo com os parentes e os amigos. Predomina a época de sua infância, quando sua imaginação portentosa ajuda-o a suportar as privações econômicas, o preconceito étnico, as perdas familiares.

O misto de fantasia e realidade ajuda Joel a amadurecer; com a maturidade, vem o desencanto. Problemas pessoais substituem a guerra épica do passado, e o rapaz aprende a suportar a nova etapa de sua existência. Acompanhar essa trajetória é crescer junto com a personagem, vibrando com suas conquistas e compreendendo suas mudanças interiores.

A GUERRA NO BOM FIM

Consideremos o Bom Fim um país – um pequeno país, não um bairro em Porto Alegre. Limita-se, ao norte, com as colinas dos Moinhos de Ventos; a oeste, com o centro da cidade; a leste, com a Colônia Africana e mais adiante Petrópolis e as Três Figueiras; ao sul, com a Várzea, da qual é separado pela Avenida Oswaldo Aranha. Em 1943 a região da Várzea, já saneada, estava transformada num parque – a Redenção –, no centro do qual a Polícia tinha estabelecido um pequeno forte; fora dessa ilha de segurança as noites na Redenção eram perigosas, especialmente no inverno, quando a cerração invadia aquelas terras baixas. Verdadeiro mar, onde, a espaços, boiavam tênues globos de luz.

Durante o dia, via-se ali o vulcão extinto. A árvore petrificada. A Casa Chinesa. Ciprestes sobre o lago. Barcos. Poço dos jacarés. Ruínas de antigas civilizações; entre elas, meio ocultos, os ariscos pederastas. As garças e as capivaras. Búfalos. Uma harpia. O lago das carpas vorazes. E aos domingos: soldados de farda amarela, empregadas com sombrinhas, vendedores de pipoca. Junto à estação dos barcos tocava a banda do Exército da Salvação, tendo escrito no mastro de seu estandarte: A FERRO E FOGO. Ali um homem de barba se atirou ao chão, chorando e gritando: "Fui um pecador, me arrependo". Quanto à avenida, por ela passavam os bondes: Petrópolis, Gasômetro, Escola, J. Abott. Poucos automóveis trafegavam pelas ruas do Bom Fim, quase todos a gasogênio: estava-se em guerra, a gasolina era escassa.

Madrugada de inverno. A cerração subia da Várzea e invadia o Bom Fim. As pombas passeavam no leito da rua, bicando grãos caídos entre as pedras. Passava a carrocinha do leiteiro João, passava a carroça do padeiro Shime. As pombas alçavam um voo curto e pousavam adiante.

Havia guerra na Europa, mas a hora era de calma no Bom Fim. Os grandes negros da Colônia Africana ainda dormiam, ressonando forte e cheirando a cachaça. Três mulatas dormiam dilatando as narinas com volúpia. As gordas avós judias dormiam, os pálidos judeuzinhos dormiam, de boca aberta e respiração ruidosa por causa das adenoides. As mães judias dormiam seu sono leve e intranquilo. Os pais judeus dormiam; logo acordariam e iriam, bocejando, acender os fogões a lenha, tossindo e lacrimejando quando as achas úmidas começassem a desprender fumaça. Às cinco da manhã o velho Leão se mexia na cama e gemia: "Oi. Oi, oi, oi. Oi". Levantava-se, ia até a porta da cozinha e urinava na terra observando com olhos remelentos o fino jato que desprendia vapor e aos poucos se transformava num melancólico gotejar.

A água fervia na chaleira de ferro esmaltado. Samuel e seus vizinhos tomavam chimarrão. Isaac tomava o chimarrão chupando balas de mel; Samuel ria, dizendo que para um gaúcho de verdade o mate devia ser amargo. Obe, o "Torto", acreditava no chimarrão como diurético, Samuel usava-o como laxante. Passavam a cuia de mão em mão e sugavam o infuso quente pela mesma bomba – sem medo, porque o Dr. Finkelstein afirmava que o calor mata os micróbios.

Na cocheira ao lado da casa de Samuel a égua "Malke Tube" escarvava o chão, impaciente. As ruas do Bom Fim iam se enchendo de gente – mulheres enroladas em xales, regateando com os verdureiros e contando às vizinhas as últimas novidades; meninos de cabelos úmidos e nariz vermelho de frio, a caminho do colégio. Os mercadinhos exibiam caixotes de batatas e anúncios coloridos de *Guaraína*. Os vendedores de gravatas tomavam o bonde, para ir vender sua mercadoria na Praça Quinze.

O sol aquecia as calçadas molhadas, os sapateiros martelavam, os alfaiates costuravam, os marceneiros manejavam o serrote, o formão, a torquês, a goiva, a pua. Ao meio-dia os meninos voltavam do colégio, mas não entravam em casa; ficavam na rua, jogando pelas figurinhas de Carlitos e do Brocoió. Cabeças de mães emergiam das janelas, chamando os filhos para comer. Elas tinham feito um *borscht* muito bom, *kneidlech* com bastante *schmaltz*, excelente comida iídiche, única capaz de evitar a desnutrição que ameaçava os filhos do Bom Fim.

Depois do almoço o Bom Fim mergulhava em pasmaceira; aos poucos os meninos ressurgiam, dessa vez a caminho das aulas da tarde. Voltavam às cinco, entravam em casa correndo, jogavam as pastas a um canto e saíam para o futebol. Ao crepúsculo, uma luz mágica, dourada, iluminava o Bom Fim. Nesse bairro, nesse pequeno país, a esta luz, Chagall teria visto os violinistas em lento voo sobre os telhados; eram quatro; três, quem seriam? O quarto era Nathan, filho de Samuel e Shendl e irmão de Joel; Nathan, que teve uma hemoptise tocando *A iídiche mame* e caiu morto sobre a estante. Esses violinistas nunca mais foram vistos; desapareceram durante a guerra (seres de pouca velocidade, seriam alvo fácil para os *Stukas* e os *Messerschmitts*). O Bom Fim está hoje cheio de altos edifícios, mas nos desvãos que os separam é possível, em certas noites, ouvir-se sons de violino.

II

Em 1943 as noites eram negras. O país estava em guerra com a Alemanha e observava-se o *blackout*, furado de vez em quando pelos quinta-colunas que acendiam cigarros para dar aos *Stukas* e *Messerschmitts* a posição da defesa antiaérea no Bom Fim. Os nazistas estavam em toda parte; na Rua Fernandes Vieira foram descobertos numa fábrica de caramelos, que foi cercada e incendiada pelas tropas da Fernandes Vieira, grande quantidade de balas café com leite sendo capturada na ocasião.

Mas, em geral, as noites eram quietas; noites de inverno, ruas quase desertas. As famílias se reuniam em torno da mesa da cozinha. Um samovar fumegava. Tomava-se chá; comiam-se bolachas, *latkes*, sementes de girassol. Da Oswaldo Aranha vinha o pregão do vendedor de pinhões: pinhão quente, gritava ele, está quentinho o pinhão. Contava-se uma história da Rússia, outra história da Rússia. A voz do vendedor de pinhões ia se extinguindo; só o abafado trovejar do bonde J. Abott e o longínquo latido do cão "Melâmpio" quebravam o silêncio. Os vizinhos se despediam, voltavam para suas casas caminhando encurvados na cerração. Hora de dormir – anunciava Samuel aos filhos. Joel e Nathan dormiam na mesma cama. Despiam-se lentamente, observando-se; Joel baixo, ruivo e sardento, Nathan pálido e magro.

Deitavam-se.

Nathan nunca dormia. Ficava quieto, de olhos muito abertos, fixos no forro de velhas tábuas, sobre o qual corria, gordo e ativo, um velho rato cinzento chamado "Mendl". Joel olhava o irmão, olhava o forro. Inquieto, sussurrava: "Dorme, Nathan. Dorme, irmão". Encostava a orelha no crânio do outro, e ouvia sons, notas fugazes.

Ao longe cruzavam-se os holofotes dos navios surtos no cais. Procuravam *Stukas* e *Messerschmitts.*

III

De madrugada, terminado o chimarrão, Samuel ia atrelar a égua "Malke Tube" à charrete. Não era tarefa fácil; voluntariosa, a égua negaceava sem cessar. Samuel tinha vontade de aplicar-lhe uns relhaços, mas temia machucar o animal. Contentava-se com praguejar em iídiche, enquanto prendia os arreios.

Chagall, o pintor dos violinistas flutuantes, era de Vitebsk, na Rússia. Samuel também era da Rússia. Pequeno ainda, viera com sua família para o Brasil. Como muitos outros judeus, que estavam cansados da miséria, da neve e dos *pogroms* da Rússia tsarista. Marcos Yolovitch escreve a respeito: "Numa clara manhã de abril do ano de 19..., quando a estepe começava a reverdecer a entrada alegre da primavera, apareceram espalhados em Zagradowka, pequena e risonha aldeia russa da província de Kersan, lindíssimos prospectos, com ilustrações coloridas, descrevendo a excelência do clima, a fertilidade da terra, a riqueza e a variedade da fauna, a beleza e a exuberância da floresta, dum vasto e longínquo país da América, denominado – BRASIL –, onde uma empresa colonizadora israelita, intitulada *Jewish Colonization Association*, mais conhecida por JCA, proprietária duma grande área de terras duma fazenda chamada 'Quatro Irmãos', situada no município de Boa Vista do Erechim, Estado do Rio Grande do Sul, oferecia colônias, mediante vantajosas propostas, a quem quisesse se tornar lavrador".

Leão, pai de Samuel, ganhou uma gleba na colônia de Filipson e lá construiu uma casa. Não foram felizes aqueles pioneiros. Leão era alfaiate; sabia manejar agulha e linha, não a enxada. Ia derrubar uma árvore – a árvore caía em cima dele. Botava fogo no mato – e quase queimava a própria casa. Nada dava certo. Os gafanhotos devoraram a primeira colheita, sua mulher foi picada por cobra, o filho mais velho teve apendicite e morreu. Leão começou a beber. A família deixou a colônia e veio de trem para Porto Alegre. De Filipson só traziam, num vagão de carga, a égua "Malke Tube".

IV

A égua "Malke Tube" chamava-se antes "Maliciosa"...

Nascida numa estância, era muito linda – toda branca, ao redor do olho esquerdo tinha uma mancha preta que lhe dava um ar safado, daí o nome. Era realmente linda, realmente sensual. O estancieiro gostava dela; mandara construir-lhe uma cocheira especial, visitava-a seguido, acariciava-a, murmurando: "Maliciosa", minha linda... Numa noite de luar o estancieiro acorda sobressaltado. Da cocheira vêm relinchos e sussurros abafados. Pula da cama, pega o revólver e abre a porta, a tempo de ver o peão, completamente pelado, correr da cocheira para o mato. Furioso, o estancieiro manda chicotear o peão e matar a égua. O capataz, encarregado de ambas as tarefas, cumpriu com gosto a primeira; mas, ao puxar o facão para sangrar a égua, bate-lhe o remorso; e, em vez de matá-la, vende-a ao fazendeiro Soares de Castro.

Este, homem destemido, monta na égua e sai a guerrear.

Forma-se o entrevero. Tinem as espadas, o cheiro de sangue enche o ar. Meio enlouquecida, "Maliciosa" recua ante os inimigos, atira ao chão o ginete e foge para uns matos. Furioso e humilhado, o guerreiro persegue-a de revólver na mão. Está disposto a liquidar de uma vez por todas a diabólica criatura.

Encontra a égua num bosquete. É noite e há luar... A égua é linda. Toda branca, apenas uma mancha brejeira em torno do olho que pisca, travesso. O homem ainda tem em suas veias a excitação da batalha. Sangue e amor... Desejo ardente... Sucumbe aos encantos da égua. Depois tomba numa macega, exausto. Adormece e sonha com centauros.

Silenciosamente a égua deixa-o. Livre, enfim, galopa pelos campos. Dias depois, faminta e suja de barro, chega a Filipson e abriga-se na estrebaria do velho Leão.

No outro dia o colono descobre-a. Cheio de alegria chama a família, rodeiam a égua que repousa sobre a palha. E um traz água, e outro capim fresco, e outro lava-a. É a primeira dádiva que recebem; o velho Leão chora e agradece ao Todo-Poderoso. Batiza-a de "Malke Tube" e atrela-a na carroça. A égua resiste; seus olhos brilham de fúria; pateia a quem se aproxima. Finalmente o velho Leão perde a paciência e dá-lhe de relho. "Malke Tube" entrega-se.

Seis meses depois a família deixa Filipson e viaja para Porto Alegre. "Tube" vai junto, num vagão de carga, vendo fugir ao longe as coxilhas.

No Bom Fim a égua envelhece e perde o deboche. Puxa com resignação a charrete de Samuel. Mas seus olhos não perderam o antigo brilho; e à noite sonha com centauros.

V

Samuel. Samuel vendia à prestação. Instalado em sua charrete penetrava nos "poros da sociedade" (Marx). Ele e "Malke Tube" percorriam a cidade, da Colônia Africana ao sopé do Morro da Velha, galgando morros e saltando valos; suavam e levavam as últimas novidades para a clientela, gente desconfiada que falava pouco e guardava dinheiro debaixo do colchão. Samuel mostrava-lhes tecidos vistosos, despertava esperanças secretas. Sim, foi ele quem fez brilhar os olhos das três mulatas; vendeu-lhes vestidos rosa com flores verdes. Durante o dia elas ainda conservavam o recato; mas à noite levantavam-se sorrateiramente, vestiam-se e adornavam-se e, coquetes, miravam-se no espelho à luz de velas.

Samuel tirava de trás da orelha um toco de lápis, molhava-o na língua e anotava os pagamentos em cartões que prendia com um atilho de borracha e guardava no bolso da camisa. Depois passava o lenço na nuca avermelhada e conversava um pouco com os fregueses. Sabia das brigas das famílias, era convidado para batizados e casamentos. Uma vez transportou para o cemitério um caixão branco; continha o cadáver de uma criança de três anos, falecida de entupimento intestinal por vermes. Seguia-o, chorando alto, a família enlutada. Nesse dia "Malke Tube" estava de mau humor. Seguidamente disparava, obrigando o cortejo fúnebre a segui-la correndo.

O trabalho não era fácil. Havia poeira, buracos, fregueses que não pagavam. Mas o pior eram os cães, os ferozes mastins do arrabalde, sempre latindo e arreganhando os dentes. Neles, Samuel cuspia. Preparava entre a língua e o céu da boca uma dura bola de saliva e enviava-a com força de projétil. Foi assim – contava-se – que vazou o olho de um cão chamado "Melâmpio". Aos gritos do cão, o proprietário, um cabo da Brigada, acudiu de revólver em punho. Samuel e "Malke Tube" fugiram cheios de remorso.

Esse cão, esse "Melâmpio", odiava os judeus. Nas noites de inverno subia o morro e latia, o focinho apontando para o Bom Fim; procurava atrair *Stukas* e *Messerschmitts* para a casa de Samuel. Não conseguindo, ficava a uivar para a lua.

VI

De manhã Joel ia ao colégio. Descia de má vontade a Rua Fernandes Vieira, passando pelo armazém do "Chazan", o terreno baldio, o sombrio palacete azul, a Padaria Três Estrelas. Chegava à esquina da Avenida Oswaldo Aranha e ficava olhando uma vitrina onde estavam expostos ex-votos. Joel olhava brancas cabeças de cera, pés e mãos, seios harmoniosamente modelados. De lá corria ao Cinema Baltimore para olhar os cartazes do filme que veria na matinê de domingo; sempre era de guerra e sempre era bom.

Finalmente chegava ao Colégio Iídiche: dois velhos casarões amarelos separados por um pátio poeirento. Ao fundo, mais um pátio e a casa da zeladora. No primeiro pátio formavam fila, ao som do Hino do Colégio. A Escola de Educação e Cultura, cantavam, traz na legenda o saber; amá-la é nossa ventura etc. Fotografias daquele tempo mostram meninos sorrindo com bocas desdentadas, cabelo cortado à cadete ou com máquina zero; meninas de trança, saia azul e blusa branca. Todo mundo estava no Colégio Iídiche.

Todo mundo, menos Marcos.

Para os pais de Marcos o Colégio Iídiche deixava a desejar. Não ensinava o que era necessário para vencer na vida. Não propiciava boas relações. Colocaram Marcos num colégio bom, mas distante.

Para chegar lá, Marcos tinha de atravessar a Avenida Oswaldo Aranha e tomar dois bondes; saía de casa às seis da manhã. Samuel ficava com pena dele e se oferecia para levá-lo na charrete. Marcos recusava tristemente. Seus pais nunca permitiriam que ele andasse de charrete. Eram amigos de dois deputados e de um vereador.

Aquele colégio era feito de sólida pedra cinzenta. Em sua aula, Marcos era o único judeu. O professor, um homem alto e loiro, de aguados olhos azuis, perguntava à classe, numa voz inexpressiva:

– E quem estava por trás da Companhia das Índias Ocidentais, que tantos males causou ao Brasil?

Ninguém sabia.

– Os judeus – revelava o professor.

Toda a classe se voltava para Marcos.

– E o que são os Protocolos dos Sábios de Sião? – perguntava o professor.

Ninguém sabia. Ele explicava.

Nos exames do meio do ano Marcos foi reprovado. Não voltou para casa. Desceu do bonde e ficou no Parque da Redenção. Caminhou pelas aleias, arrastando os sapatos no areão vermelho. Olhava o vulcão extinto, a Casa Chinesa, a árvore petrificada, os ciprestes, os barcos no lago, as vértebras de baleia, o poço dos jacarés, a rosa dos ventos, as ruínas de antigas civilizações. "Vem cá, judeuzinho", disse um pederasta de lábios úmidos. Ele não respondeu e se afastou. Anoitecia. A névoa começava a invadir a Várzea. Sentado junto ao lago, Marcos fumou um

cigarro inteiro. Depois, tirou da pasta um pacote de Pó Azul, do qual dizia o rádio que
Mata barata
ali na batata.

Provou. Era ruim e ele teve de tomar água do lago para poder engoli-lo, mas foi até o fim. Quando terminou fez do pacote um barco, que, colocado na água, navegou entre folhas secas, levado pela brisa.

Operários apressados atravessavam o parque, a caminho de casa. Três mulatas passaram rindo. Um polícia dirigia-se para o pequeno forte. Ninguém reparou em Marcos. Ele atirou a pasta no lago e deitou-se na grama, fitando o olho escarninho do sol poente. Uma espécie de secura apertou-lhe a garganta, desceu-lhe pelos braços e pernas que ficaram escuros e secos como patas de barata. E barata ele virou, uma barata grande que voava sobre o Bom Fim e olhava, divertida, o velório na Rua Felipe Camarão.

Dizem que esta história foi narrada, de maneira ligeiramente diferente, por um autor judeu chamado Franz Kafka. Dizem também que ele era tchecoeslovaco, que morreu em 1924, que foi o escritor do absurdo e da alienação etc. É possível.

Mas também é possível que Franz Kafka tivesse morado na Rua Henrique Dias. Um menino magro, que falava pouco e aos domingos usava fatiota e gravata, corresponde aproximadamente à descrição desse Kafka. Do menino, sabe-se que não fazia parte de nenhuma trinca, não tinha funda, nem soltava pandorga; sabe-se mais que, agachado na calçada, contemplava formigas com ar absorto. E que jamais debochava do louco dossel. É possível que tenha passado despercebido no Colégio Iídiche, e, se não fumava, não colecionava figurinhas do Brocoió e não ia ao Cinema Baltimore nos domingos – quem saberia de sua existência? Talvez ele mesmo assim o desejasse. Estava-se em guerra e os pais dele falavam alemão. Essas coisas eram altamente suspeitas, então.

Quanto a Marcos, foi sepultado. Seus ossos soltaram a carne e secaram. Aos poucos foi esquecido. Dele, Joel e a turma lembravam somente uma brincadeira: deitava-se no chão e dizia: vou ficar aqui, como morto, cinco minutos. E depois se levantava e dizia: falta menos cinco minutos para morrer. A inteligência daquela criança! Admiravam-se os vizinhos. Infelizmente, morreu.

VII

No Bom Fim, Joel sentia-se como um Rei. Sentava-se displicentemente em seu trono, à sombra do cinamomo, rodeado de ministros: o das finanças, de olhinho esperto e riso matreiro; o da guerra, de olhar torvo; o chefe do serviço secreto, com o qual Joel conferenciava em voz baixa. Em volta, às cabriolas, movia-se a corte: dois gêmeos, um coxo, vários cachorros, um gato, um futuro deputado, muitos colorados. Mais ao longe, donzelas de risinho nervoso. Era Joel que elas admiravam, Rei e Capitão, terror dos nazistas.

Joel era baixo, ruivo e sardento. Uma vez mandou raspar os cabelos com máquina zero, na esperança de que eles nascessem pretos. Vieram mais vermelhos que nunca. E ele brigava quando o chamavam de "Fogareiro". Brigava muito, por isso também o chamavam de "Garnizé". Este apelido ele gostava menos ainda. Estava sempre de joelhos esfolados e não gostava de tomar banho. Muito pequeno, tivera convulsões – por causa dos vermes, segundo a mãe. Certa vez caíra sobre a chapa do fogão. Tinha na testa a cicatriz da queimadura. Quando se enfurecia ela ficava vermelha como a marca de Caim.

Tinha também seus temores. Temia a galinha do vizinho, uma carijó cruel, que tinha uma pata quebrada. Por causa desse medo riam dele e diziam que ele era cagão. Um dia, quando Joel entrava em sua casa pelos fundos, encontrou a galinha na porta da cozinha. Na própria casa de Joel! Olhava-o. Joel hesitou. Finalmente, desesperado, investiu contra a ave. Num voo nervoso, ela subiu ao telhado. Joel apedrejava-a, gritando triunfante. A galinha tornou a voar, dessa vez para muito longe, para o mar, talvez.

Nunca mais foi vista.

Nathan voava habitualmente. Joel, não. Voou pouco, e só quando teve pneumonia. Nessa época ficou muito magro e fraco. A mãe não queria que ele saísse de casa; mas numa tarde chuvosa, às seis horas, Joel abriu a porta e saiu. Caminhou vagarosamente pelo terreno baldio, os sapatos afundando na terra molhada. Galgou a custo um montículo que parecia uma mulher deitada; abriu os braços, jogou as pernas para trás e pronto, já estava voando sobre garrafas quebradas, panos sujos e jornais velhos. Mas não voava a mais de oitenta centímetros de altura e sua velocidade era lenta, mal dando para sentir um pouco de vento na barriga; desceu. Os pés correram sobre a terra, tropeçando em latas enferrujadas, e depois pararam. Joel voltou para casa. Combateria os nazis na terra e no mar, na praia e nas ruas. Não invejava o irmão que sabia voar; sua vocação era outra.

Nathan voava. Marcos deitava no chão e ficava quieto. Rafael estava sempre rabiscando em papel de pão. Alberto dava o cu. Dudi era filho do professor de hebraico.

Rute era quase homem, fumava. Raquel era meiga e tinha um álbum de recordações: "Quando folheares as páginas já amareladas deste relicário, recordar-te-ás da amiga...". Fantasiava-se de Rainha de Sabá: envolvia-se em véus e bailava, imaginando ardentemente o rosto trigueiro do Rei Salomão. Miguel, o manco, fazia contas de cabeça.

Joel? Não era bom em cálculos, nem voava. Nem dava o rabo. Nem era vesgo. Ria quando havia motivo para rir, chorava quando havia motivo para chorar. Ouvia histórias de sacanagem, pensava nelas, mas não perdia o sono. Dele, disse uma ocasião o Dr. Finkelstein: "O peso e a altura estão normais", e era verdade.

Joel tinha pena de Marcos, mas ninguém tinha pena de Joel. Nem havia por que ter pena. Uma vez declamou um verso na festa de fim de ano do Colégio Iídiche; só errou duas vezes e bateram palmas para ele. Uma vez apertou a mão do prefeito, que visitava a escola, mas oitenta outras crianças fizeram o mesmo. Odiava – mas não muito – sopa de massa. Gostava de bife, mas não era todo dia que tinha. Seus pais eram pobres. Quando lhe perguntavam se gostava de seu pai e de sua mãe, dizia: "Sim". Quis – durante uma semana – ser marinheiro. Na mesma semana seguinte desejou ser general. Na maior parte do tempo combatia os nazistas como capitão.

Jean sabia falar francês; ele *era* francês. Beto era vesgo. Era boa aquela turma...

Voltando do colégio, Joel jogava a pasta a um canto, pegava um pedaço de pão com manteiga e saía correndo para a rua:

– Turma, turma, turma!

– Joel, Joel, Joel! – respondia a turma.

Chefiada por Joel, Rei e Capitão, a turma ia para a Rua Felipe Camarão debochar do funileiro polonês.

O funileiro polonês estava sempre bêbado. Católico, o padre não o deixava entrar na igreja do Divino, porque cuspia na pia de água benta e gritava que Jesus Cristo usara uma coroa de espinhos, enquanto o Papa usava uma de ouro. Joel e sua turma pulavam em torno do funileiro polonês, que jogava pedras, sem acertar.

– Judeus de uma figa! – gritava. – Os alemães vão fazer a peça em vocês! Já começaram, está bom? Já começaram. Estão fazendo sabãozinho de vocês. Estão assando vocês nos fornos, que nem galinhas depenadas. Que nem churrasco!

Joel ria, Beto ria, Dudi ria. Que nem churrasco! Riam.

O funileiro polonês ficava cada vez mais furioso.

– Estão botando a guasca no traseiro da mulher de vocês! E não botam na frente para não nascer filhos, para acabar de vez com a raça triste de vocês!

A turma ria. Como a turma ria! Ria Mário Finkelstein, filho do Dr. Finkelstein, que depois veio a se formar em Medicina, como o pai, e se tornou médico muito humanitário, dando aos clientes pobres amostras grátis e até dinheiro; ria Francisco Zukierkorn, que se formou em Engenharia e organizou a maior firma de construções da cidade; riam os irmãos Abrão e Moisés, que viriam a ser donos de várias lojas; ria Rubens, que foi para Israel morar em Eilat. Ria Motl Liberman, que depois se tornou dentista; ria Pedro, que fez duas vezes vestibular de Medicina, foi reprovado e depois se tornou dentista; ria Arnaldo, cujo sonho era ser dentista. Ria o Favinho, Fábio Blumenfeld – anos depois contrabandista. Por enquanto ria. Se abraçavam uns aos outros e riam, se davam tapas nas costas e riam, rolavam no chão de tanto rir.

O alfaiate Chaim Iankel saiu de casa e deu uns tapas no funileiro polonês, que, a esta altura, também ria, sem saber por quê. Dormia ao relento e morreu congelado naquele inverno.

Na Europa, a guerra prosseguia em todas as frentes.

VIII

Batidos em Stalingrado e na Sicília, com problemas de abastecimento e ameaçados na África, os alemães se voltaram para o Bom Fim.

Este pequeno país estava de pé e mobilizado, sob as ordens do Rei Joel. Um ataque frontal não seria possível. A quinta-coluna entrou em ação.

Aconteceu na festa do Divino...

Todos os anos, no inverno, a igreja do Divino cobria-se de luzes coloridas, que, ora acendendo-se, ora apagando-se, formavam complicados desenhos. E, sobre a grande porta, a pombinha branca, símbolo do Divino Espírito Santo, abria e fechava suas asas de lâmpadas.

No largo, diante da igreja, uma alegre multidão percorria as tendas. Havia rifas e sorteios, carrossel e uma roda-gigante.

Foi nessa que os nazistas concentraram seu ódio.

Uma noite, cerca das vinte horas, quando mais intenso era o movimento de populares na quermesse, ouviram-se duas explosões. A roda-gigante parou; toda a sua enorme estrutura de aço estremeceu; subitamente liberou-se dos mancais e avançou pelo parque, esmagando tômbolas e tendas, soldados e empregadas, atravessou a Oswaldo Aranha com ruído infernal e começou a subir a Fernandes Vieira.

Alertados pelo barulho, Joel e sua turma vieram correndo da Henrique Dias. O que viram deixou-os horrorizados. Tendo avançado quase até o meio da lomba, a roda-gigante começava a voltar, os aterrorizados passageiros agarrados aos raios. Não perderam tempo. Com tábuas e pedras tiradas de uma obra construíram às pressas uma espécie de trampolim à altura da Padaria Três Estrelas. Nesse meio-tempo a roda voltara a adquirir velocidade e descia estrondeando pelo leito de pedras irregulares da Rua Fernandes Vieira. Ao alcançar o trampolim, tal como estava previsto, tomou impulso e subiu na noite estrelada!

Por um momento Joel conteve a respiração. Mas o cálculo da inclinação (feito por Miguel, o Manco, que depois veio a ser professor de cálculo infinitesimal na Universidade de Stanford) estava correto: a roda descreveu uma grande curva no ar, passou sobre os fios do bonde e foi se encaixar, com estrépito, nos mancais de onde saíra; o golpe foi forte, mas a estrutura aguentou.

O povo aplaudiu Joel e seus valentes; e, removidos os cadáveres e escombros, o Parque voltou à atividade, com os alto-falantes irradiando ternas mensagens de amor e músicas marciais. Assim era a Festa do Divino.

O acontecimento mostrou que o inimigo já estava no coração do Bom Fim. A revista *Em Guarda* chamava a atenção para este ponto. O nazismo era mostrado como uma serpente atravessada por um ferro empunhado por uma mão onde estavam desenhadas as bandeirinhas das Américas. A revista *Em Guarda* era encontrada nas salas de espera de todos os médicos, dentistas e barbeiros do Bom Fim, de modo que ninguém podia ignorar a advertência. Contudo, nessa mesma figura via-se sangue esguichando da serpente nazista: ela não era imortal. Ela podia ser vencida. *Gibi Mensal*, *Globo Juvenil*, Cinema Baltimore, Cinema Rio Branco provavam isso constantemente.

O importante era vigiar os espiões.

O casal Schmidt.

O casal Schmidt morava na Rua Fernandes Vieira, quase na esquina com a Avenida Independência, num ponto estratégico: a fronteira norte do Bom Fim. O homem era alto e empertigado e não falava com ninguém. O relatório do Serviço Secreto chamava a atenção sobre a bengala com castão de prata – certamente uma arma disfarçada – e o modo de andar, a passos lentos, voltando-se constantemente, e olhando para trás, tudo típico de um espião.

A mulher era loira e fumava. Pintava a boca de escarlate. Recebia outros espiões em várias horas do dia. Essa mulher, essa *frau*, odiava o marido. Muitas vezes, da rua, a turma ouvia seus gritos irados. Os espiões não têm paz; envenenam-se com a própria peçonha.

O homem morreu em circunstâncias misteriosas no verão de 1944; a mulher vendeu a casa e foi para Torres bronzear-se ao sol. Sua partida livrou o Bom Fim do ninho de espiões; no dia em que ela embarcou num carro de praça carregado de malas, Joel e seus amigos, sentados na calçada, cantaram*:

> *Frau* Schmidt
> Vai à praia
> Seu marido
> Não vai junto
>
> *Frau* Schmidt
> Está contente
> Seu marido
> É um defunto!

---
* Com a música da canção "Micky Messer", *Ópera de Três Vinténs*, de B. Brecht e Kurt Weill.

IX

Nas fronteiras do Bom Fim a situação era sempre perigosa. Além dos nazistas, as turmas das ruas Esperança, Cabral, São Manoel e Mariante enfrentavam constantemente o assédio dos poderosos negros da Colônia Africana. Acabaram por se defrontar num jogo de futebol que se realizou no território neutro do Campo do Polo, ao sul do Bom Fim. A partida não terminou; interrompida por brigas, terminou numa batalha de bosta. A munição, abundante, era fornecida pela égua "Malke Tube" e outros muares que ali pastavam – no terreno onde depois seria construído o Hospital de Clínicas. Bombardeados com esterco seco, os defensores do Bom Fim ainda resistiram; quando os inimigos passaram a usar as bolas ainda úmidas e fumegantes, bateram em retirada. Era mais fácil enfrentar nazistas. Os negros riam e prometiam fazer churrasco de judeuzinho. Eram malvados, aqueles negros.

Não o negrão Macumba.

O negrão Macumba surgiu nos fundos da casa de Joel depois das grandes chuvas que precederam a festa de *Pessach*. O quintal estava transformado num verdadeiro mar, um grande mar de águas barrentas; e foi através desse mar que Shendl, a mãe de Joel, viu certa manhã o negro Macumba. Estava de pé, parado.

Era enorme e tinha um serrote na mão; pareceu a Shendl tão ameaçador quanto o Faraó o era para os judeus no Egito.

Macumba. Diante do mar, insensível aos flagelos: gafanhotos e rãs que pulavam sobre ele, úlceras que se abriam em seu corpo, sangue que corria de uma ferida em sua cabeça.

– Vai embora, malvado! – gritava Shendl enfurecida. – Sai daqui, assassino! Tuas mãos estão sujas de sangue de judeus!

Tinha na mão uma faca, a grande faca *Kasher* que seria usada para preparar os alimentos de Páscoa; empunhava-a como um gládio, disposta a profaná-la, a matar o negro com ela, para defender sua casa, seu marido, seus filhos.

Lentamente o negro atravessou o quintal, caminhando na direção dela. As águas avermelhadas se abriam à sua passagem. Em vão Shendl recorria às poderosas pragas judaicas*: Que te vires em cebola, cabeça enterrada na lama e corpo ao vento; que te vires em cigarro, molhado de cuspe numa ponta e queimando na outra; que te tornes um candeeiro, pendurado de dia e ardendo à noite...

Macumba respondeu com uma saudação gentil. Perguntou se não havia lenha para serrar; havia, e ele serrou, muita lenha por um pouco de pão. Voltou muitas vezes depois, porque arranjara um emprego numa construção da Rua Henrique Dias. Nunca devorou ninguém. Ao contrário, era inimigo

---
* Coletadas por Abrão Finkelstein.

dos nazistas e amigo do Rei Joel, a quem tornou sábio como Salomão pelo ensino de segredos valiosos. A batalha de Guadalcanal foi ganha graças a um despacho feito por Macumba na esquina da Vasco da Gama com a Fernandes Vieira, numa sexta-feira à noite; Joel fugiu da festa de *Shabat* para ajudá-lo. A introdução, junto à turma do Bom Fim, dos cigarros *Baliza* e *Colomy* também foi obra dele. Ensinou muitas outras coisas, "que vocês só vão valorizar mais tarde", dizia a Joel, e era verdade. Também dizia das coisas que ensinava: "Guarda segredo, meu amiguinho".

Nesse tempo Nathan não comia; já padecia da doença que viria a matá-lo. Estava cada vez mais magro e tossia muito. Um dia viu Macumba almoçando e quis experimentar da marmita. Gostou do feijão com arroz, e mais ainda do pirão de farinha de mandioca, que comeu vorazmente. A partir de então Macumba dava a Nathan sua marmita e recebia de Shendl um prato com boa comida iídiche. Não era sem sacrifício que mastigava as *matzot* que tinham sobrado do *Pessach*; mas gostava de *borscht*, a sopa de beterrabas – parece sangue, dizia –, *kneidlech*, *guefilte fish*. Os *latkes*, levava para os filhos.

Comiam juntos, Nathan e ele, no fundo do quintal, conversando sobre coisas interessantes. Mas então Macumba começou a comer cada vez menos, emagrecia e tossia, uma vez botou sangue pela boca. Disse então: "Agora estamos juntos, meu amiguinho. Mas guarda segredo". Um dia sumiu para os lados do Morro da Velha, de onde tinha vindo, e nunca mais foi visto.

Embora cercado de colinas, o Bom Fim é um país plano. Para enxergar Macumba, Nathan voava entre os telhados, sondando ansioso o horizonte, na esperança de avistar o negro.

Só Joel sabia que o irmão voava; só Joel sabia que Macumba não voltaria. A respeito disso murmurava para si mesmo: "Guarda segredo, meu amiguinho". O sábio é solitário.

X

Shendl não tinha medo de ninguém. Uma vez bateu no verdureiro com o tamanco. Outra ocasião a empregada do vizinho roubou-lhe um vestido de algodão; encontrando a mulher na frente do Cinema Baltimore, Shendl avançou contra ela e obrigou-a a despir-se na frente de todo mundo. Depois, num impulso, entregou o vestido à empregada e choraram abraçadas.

Sempre fora pobre. Depois do jantar de *Shabat*, quando a família se reunia em torno da mesa da cozinha para tomar chá e comer *latkes*, contava aos filhos:

– A gente passava fome, eu e o pai de vocês. Mas me lembro que uma vez encontrei uma bala na rua, em frente à antiga fábrica de caramelos. Foi logo depois do incêndio, se lembram? Abri a bala bem devagar, botei na boca. Que bala era aquela! Café com leite. Chupei-a bem devagar, sentindo aquele gosto bom. Brinquei com a bala em minha boca: a língua mandava ela para os dentes, os dentes para o céu da boca, o céu da boca para a gengiva, a bala ia e voltava, fazia um barulhinho de chocalho, e sempre aquele gosto... De repente veio o pai de vocês, me deu uma batida nas costas e engoli a bala. Engoli a bala café com leite! Quando estava no melhor.

— É verdade — dizia Samuel tristemente. — Me lembro dessa bala.

— A gente só trabalhava — prosseguia Shendl — sem nunca se divertir. Dia e noite cozinhando, lavando, cuidando das doenças de vocês... Um dia arranjamos um dinheirinho e fomos ver um filme. Que filme era aquele! Triste e colorido, fazia a gente chorar. Molhei com lágrimas o chão do Baltimore. E no meio do filme não é que o pai de vocês teve uma dor de barriga e tivemos de ir para casa? Não é, Samuel?

— É — Samuel concordava. — Que filme, aquele! Hoje em dia não fazem mais filmes como aquele. Colorido e triste.

Shendl suspirava.

— E ainda por cima a gente se vestia mal. Eu usava uns trapos. Trapos! Só tive dois vestidos bons. Um, a empregada do vizinho me roubou. Outro, o pai de vocês me deu. Que vestido era aquele! Rosa. Tinha flores verdes. Tinha fitas. Tinha rendas. Tinha um cinto preto. Tinha uma boa bainha. Tinha comprimento, tinha largura, tinha um decote. Tinha tudo. E o pai de vocês...

— Rasguei — confessava Samuel, arrasado.

— Rasgou — Shendl estava indignada. — Ele tinha pressa, não podia esperar que eu tirasse.

— Rasguei — confirmava Samuel. — E te digo, mulher; nunca mais encontrei outro vestido como aquele! Rosa, com flores verdes, fitas, rendas, cinto preto, bainha, comprimento, largura, decote, tudo.

Por isso nunca mais te comprei um vestido: não ias gostar de nenhum. Foi melhor tu teres ficado com teus vestidos velhos. Foi melhor, Shendl! Shendl só temia uma coisa: doença nos filhos. Joel ela via com a barriga cheia de vermes; comprava todos os vermífugos que o rádio anunciava e despejava-os pela goela do filho. Uma vez, na sinagoga, Joel vomitou um verme perto do Rabino.

>   Na noite do ventre escondido
>   Vive um verme bem mofino
>   Dia e noite, noite e dia
>   Devora as tripas do menino.
>
>   Ataca-o com fúria sagrada
>   Shendl, com a fórmula acertada:
>   Sai do ventre o verme fino
>   E morre aos pés do Rabino.

Às vezes agarrava o crânio de Nathan:
– Te dói a cabeça, meu filho?
– Dói – respondia Nathan, distraído.
Ela deixava-se cair numa cadeira.
– A cabeça! Te dói a cabeça! Logo a cabeça! Que se pode fazer? Amanhã vamos ao Dr. Finkelstein. Não, melhor num especialista. Um bom especialista, um especialista de cabeça. Dona Iente sabe de um muito bom, no centro. Cobra caro. Mas eu vendo tudo e pago a consulta. É a cabeça! Com a cabeça não se brinca!

Estava sempre na sala de espera do consultório do Dr. Finkelstein, folheando nervosamente a revista *Em Guarda*; a cobra nazista era para ela um verme gigantesco; a mão que empunhava o gládio, o milagroso Dr. Finkelstein. Esse médico conhecia a barriga de todas as crianças do Bom Fim, sabia quais as que podiam comer *latkes*, quais as que podiam comer *kneidlech*. Foi ele quem introduziu no Bom Fim a sulfa e a penicilina. Nas raras noites em que não era chamado e podia dormir, o Dr. Finkelstein sonhava com a Faculdade de Medicina do Bom Fim. Estaria instalado nos altos do Serafim, de onde os jogadores e contrabandistas seriam expulsos, como os vendilhões do Templo. A formatura seria no palco do Círculo Social Israelita. Ele, Dr. Finkelstein, seria o paraninfo. Centenas de médicos sairiam daquela escola, tendo como especialidade o tratamento de filhos de mães judias.

Acordado, o doutor contentava-se em suspirar pelo dia em que seu filho se formasse e viesse trabalhar com ele.

XI

E de repente chega o domingo. Não se trabalha; não se trabalha sábado nem domingo. Sábado é feriado no país do Bom Fim, domingo é feriado no Brasil. Sábado pela manhã se vai à sinagoga. No domingo a família se aboleta na charrete e vai fazer um piquenique nas Três Figueiras. "Malke Tube" trota com garbo, Samuel canta em iídiche, Joel grita e abana para os amigos, Nathan sorri, Shendl alimenta-os com sanduíches e maçãs. Descem a Rua Fernandes Vieira, tomam à esquerda na Avenida Oswaldo Aranha, passam pela frente do Pronto Socorro, abanam para uma enfermeira – uma mulata vestida de branco –, passam pelo Campo do Polo, pelo Cinema Rio Branco, pelo Campo do Força e Luz. Já estão fora do Bom Fim e, à medida que sobem o Caminho do Meio, as casas vão escasseando e o mato começa a surgir. É então que passam pelo palacete dos judeus petrificados.

Ficava no meio dos matos de Petrópolis e tinha colunatas de mármore. Ali os judeus ricos se reuniam em banquetes, enquanto seus irmãos eram enviados para os fornos crematórios na Europa. Mas Deus os castigou: no meio de uma festa, enquanto os copos tiniam e a orquestra tocava rumbas, congas e *bebops*, as portas se abriram de par em par e surgiu o arcanjo Gabriel; fixando o olhar nos convivas, petrificou-os.

O palacete está em ruínas e coberto de mato. Joel nem pensa em ir lá. Se for, terá de avançar por uma estreita picada, ferindo-se nos espinheiros que quase fecham o caminho; chegará a um grande portão de ferro que se abrirá com dificuldade, rangendo nos gonzos. Passará pela piscina onde folhas e sapos mortos flutuam em restos de água pútrida. Pelo terraço poderá chegar ao salão, passando por uma porta de grandes vidraças quebradas.

Ali estão as figuras de pedra.

Suas vestes estão em farrapos, mas os gestos e as expressões das faces são nítidos.

Joel verá dois homens; o primeiro cochicha ao ouvido do segundo, os olhos desse contemplam um terceiro.

Que segredo será esse?

Mais adiante, outros dois homens. O primeiro estende ao segundo um papel, cuja escrita agora está ilegível. A mão do segundo se estende para apanhar o documento, mas ele parece indeciso.

O que haverá no papel? O que deseja o homem em troca dele? É digno de confiança?

O dono da casa apresenta a seu primo um industrial de São Paulo. O que pode o primo lucrar conhecendo o industrial de São Paulo? Já começou a expansão do parque fabril paulista? Não virá o primo a arrepender-se mais tarde dessa aproximação?

A brisa entra pelos vidros quebrados levantando pequenos redemoinhos de poeira. Sobre bandejas de prata, restos de sanduíches; e nesses, corpos secos de baratas e pequenos besouros. No teto, uma grande mariposa negra abre suas asas. Joel recuará. Voltará correndo pelo mesmo caminho, ferindo-se cruelmente nos espinhos. Preferirá subir o Caminho do Meio rumo às Três Figueiras. E, como nada dirá sobre o que viu, o palacete dos judeus petrificados será aos poucos esquecido.

Nas Três Figueiras corriam pelo campo, brincavam de pegar e esconder com outros meninos, rolavam no chão de cansados. Depois Shendl estendia uma toalha à sombra de uma figueira. Sentados no chão comiam pão preto, arenques e frutas, tomando muita água *Charrua*. Os pais adormeciam, Nathan ficava deitado, olhos fitos no céu, Joel jogava bola sozinho.

Às vezes um estranho pressentimento se apossava dele.

Já avistara, do alto das Três Figueiras, um vulcão nascendo perto do Bom Fim; tinham rido dele, tinham dito que era mato queimando em cima de um morro. Mas Joel sabia que era realmente um vulcão, que em breve a lava desceria a montanha, invadiria a Avenida Oswaldo Aranha e as pequenas lojas do Bom Fim, carregando peças de fazenda, roupas feitas e lingerie, brinquedos e miudezas, louças e artigos de ferragem, quartos de casal de pinho e imbuia. É claro que nada disso aconteceu – porque Joel rezou, rezou muito na sinagoga da Rua Henrique Dias. Deus salvou o Bom Fim. Não salvou Nathan. Depois da morte dele a família nunca mais fez piqueniques nas Três Figueiras.

XII

Nos domingos de chuva, Joel e a turma iam ao programa de auditório do Piratini ou do Adroaldo Guerra. Adroaldo Guerra era grande e gordo, mas movia-se com agilidade no pequeno palco, apresentando ao público os cantores, os músicos, os imitadores, os gaiteiros, os locutores, e entregando prêmios aos melhores. A turma tinha muitas habilidades: Joel revirava os olhos até aparecer o branco. Motl Liberman dava saltos mortais, Marcos se fingia de morto; mas não havia prêmios para essas façanhas. Nathan poderia concorrer, tocando violino, mas Joel temia que ele se pusesse a voar pelo auditório, afastando-se do microfone.

Não, Nathan não. Dudi sim. Dudi, o filho do professor de hebraico, sabia tudo. Quem sabia das dicotiledôneas? Quem sabia dos acordos secretos entre fenícios e cartagineses? Dudi sabia e a turma aproveitava: uma bola de futebol num domingo, um quilo de balas café com leite noutro. Tudo ia muito bem, até que a família alemã começou a frequentar o programa.

A família alemã compunha-se do pai, da mãe, do filho e da filha. Os três primeiros sentavam-se duros e quietos. O perigo estava na filha, Frida, uma menina de tranças e óculos. Sabia tudo sobre monocotiledôneas e sobre tratados secretos entre assírios e persas. Mais cedo ou mais tarde ela e Dudi teriam de se enfrentar, e isso aconteceu num dia chuvoso em que Adroaldo Guerra estava gripado, mas nem por isso menos entusiasmado. Convidou Dudi e Frida a subirem ao palco, apresentou-os ao público. Joel e a turma aplaudiram delirantemente seu campeão, a família alemã bateu palmas discretas para Frida, e as perguntas começaram. Desde o início ficou evidente que a batalha seria feroz. Tudo que Dudi sabia sobre Freud, Frida conhecia a respeito de Nietzsche; Dudi não errava nada sobre Mendelsohn, Frida acertava tudo de Wagner, Scholem Aleichem e os Nibelungen, Soutine e matemática superior; perto do meio-dia os adversários estavam exaustos e apenas balbuciavam as respostas. O auditório estava quase vazio. Adroaldo Guerra encerrou o programa, anunciando um empate; perguntou se Dudi, como um legítimo cavalheiro, não abdicava do prêmio – uma caixa de finos bombons – em favor de sua simpática adversária.

Dudi hesitou. Olhou para a plateia. Pressentindo o perigo, Joel levantou-se, mas era tarde demais: Dudi já tinha concordado.

– Covarde! Traidor! – gritava a turma.

Assim eram os intelectuais, naquela época. Não se podia confiar neles. Dudi desceu do palco com um sorriso tímido e conciliador e correu para a rua. A turma foi atrás, disposta a castigá-lo. Ao passarem por Frida, Jean gritou: "Mata Hari!" e lia alemã encolheu-se em torno da caixa de bombons.

Na rua, Dudi começava a levar os primeiros tapas. Ninguém podia entender o motivo daquela fraqueza. Suspeitavam que estivesse mancomunado com Frida; alguém vira a alemã enviar-lhe um beijo furtivo no fim do programa. Pressentiam que dentro de alguns anos os dois, Frida e Dudi, estariam a passear no Parque da Redenção numa noite quente de primavera; que se deitariam sobre a grama e que ficariam a se olhar, sem nada dizer; que a mão trêmula dele se introduziria sob a blusa dela, procurando o seio pequeno; que ela fecharia os olhos, arfando; que ele se deitaria sobre ela... Os concupiscentes. Na austeridade de uma época de guerra – a lascívia!

XIII

Assim eram os traidores. Dudi não era o único.

Rafael, encarregado da produção de estilingues, fê-los de borracha podre, pondo em risco a segurança de toda a turma.

Quando Joel soube, foi à casa dele para puni-lo. Escondido atrás de um armário, Rafael ouvia os gritos de Joel e sentia as fezes líquidas e quentes a lhe correrem pela perna. Muitos anos depois, foragido da polícia, lembrou-se dessa cena; e escreveu a respeito:

"O Rei mandou me chamar; tenho de ir. Irei para não voltar; porque o Rei mandou me chamar. Em seu castelo há só porta de entrada, não há porta de saída, nao há vida sem o Rei. O Rei que não quero ver, mas que breve verei. E depois, nada mais verei. Depois de ver o Rei, não há mais o que ver.

"O Rei mandou me chamar. Não sei por quê; mas ele sabe. O Rei sabe tudo; o presente, o passado, o futuro, os nomes e os sobrenomes, as cores de cada um, um verso que eu fiz, o Rei sabe e vê. Assim é o Rei.

"Quero saber por que o Rei mandou me chamar, mas não saberei. Olho meu corpo; talvez eu tenha dedos demais em minha mão esquerda, ou na direita; talvez meus pés sejam demasiado rápidos ou malcheirosos. Talvez meus olhos vejam demais ou de menos. Talvez meu coração seja demasiado rápido ou muito lento. Não sei.

"Mas o Rei sabe. E, se o defeito está em meu corpo, ele o corrigirá, em sua infinita sabedoria. Amputará o excrescente, moderará o exuberante, desenvolverá o atrófico. Assim é o Rei, que tudo sabe, tudo vê e tudo pode. Penso em minha vida. Não foi mal vivida – eu acho. Mas acho, somente. O Rei é que sabe do mal e do bem. Acho que ri demais em certas ocasiões; em outras, verti lágrimas talvez inoportunas. Certas palavras... É fácil falar, o ar vem dos pulmões, passa pelas cordas vocais, emitimos vibrações. Nem sempre bem afinadas. O Rei é sensível diapasão; ele sabe o que é um som puro, ele é todo harmonia.

"É possível que eu tenha escrito certas coisas... Quem sabe de tudo que escreveu? Eu não sei. Mas o Rei sabe, ele conhece todas as escrituras presentes e passadas. Está tudo em seu livro, o livro que ninguém conhece; está lá.

"Penso que eu talvez tenha amado demais ou de menos; e que talvez os objetos do meu amor não tenham sido aqueles que o Rei gostaria. Quem sabe? O Rei é que sabe.

"Penso nos livros que li, nas canções que cantei, nos filmes que vi. Assim é o mundo, com sua trama de delicados fios. E o Rei é a confluência desses fios, o princípio e o fim; do Rei surge toda a energia, tudo termina no Rei. E o Rei mandou me chamar. Tenho de ir. Faço minhas despedidas; abraço meus pais, irmãos e parentes. Beijo minha mulher e meus filhos. Por um instante penso: estará neles o erro? Não sei. E não adianta pensar. Logo o Rei me dirá tudo o que devo saber. Escrevo algumas palavras no papel que embrulhou o pão. E apresto-me a partir. Abro a porta e saio. Está frio lá fora. Não importa: breve o Rei me aquecerá".

XIV

Perto da casa de Joel morava Dona Iente, uma viúva gorda e otimista. Ao chegar da colônia de Quatro Irmãos, Dona Iente se casara com o dono de uma loja de fazendas, que lhe deu vários filhos, e morreu. Dona Iente foi trabalhar na loja, administrando-a com mão de ferro. "Economia de guerra" dizia, orgulhosa. O filho mais velho de Dona Iente era neurótico. Dizia-se que ele sofria do complexo de Édipo. No seu íntimo, no subconsciente, aquele rapaz cheio de espinhas, cujo apelido era Massa Fina, perguntava-se como uma bela mãe daquelas, grande, gorda, opulenta, dotada de tino comercial, poderia ter casado com o homem baixinho e careca cujo retrato ele via na sala de jantar.

Massa Fina já estava na faculdade. "Todos os meus filhos vão se formar", dizia Dona Iente. Ele era amante de Amélia, uma empregada da loja; Joel descobriu-os, nus, no depósito de fazendas. Vendeu seu silêncio por seis bolinhas de gude.

– Que vais fazer com estas bolinhas? – perguntou Massa Fina.

– Jogar – respondeu Joel, surpreso.

– Jogar, não – disse Massa Fina. – Deves trocar.

– Trocar?

– Trocar por coisas mais valiosas. Troca as bolinhas por lápis, os lápis por canetas, as canetas por relógios, os relógios por joias, vende as joias e terás um capital. Aí poderás começar um negócio como este.

Mostrava o depósito de fazendas, Joel não entendia bem o que Massa Fina dizia, mas ria, convencido de que era sacanagem. Massa Fina olhava-o com desprezo. Era estudante de Economia e sabia do que estava falando. A irmã mais moça de Massa Fina, Rute, sofria do complexo de Electra. Andava sempre com meninos; arranjou um maço de cigarros *Baliza* e convidou a turma para ir fumar no depósito de fazendas. Rute tragava e ficava com a fumaça nos pulmões um tempo enorme. Um dia Dona Iente pegou-a em flagrante.

– Estavas fumando, vagabunda?

– Não, mãe – dizia a menina, a fumaça escapando pelas narinas e pela boca.

Dona Iente bateu nela até cansar. Depois disso a menina seguidamente fugia de casa. Mais tarde tornou-se atriz de teatro, fumava maconha e chegou a dormir com dois homens ao mesmo tempo. Nem sequer pensou em fazer vestibular.

Outra filha, Raquel, era uma menina meiga que gostava de declamar e de se fantasiar de Rainha de Sabá: envolvia-se em véus e bailava silenciosamente, imaginando ardentemente o rosto trigueiro do Rei Salomão. Essa filha, Dona Iente queria-a advogada.

Raquel era gêmea com Jacob, menino que preocupava um pouco a mãe, com sua mania de estripar gatos; Dona Iente chegou a levá-lo ao Dr. Finkelstein por causa disto. O doutor previa que Jacob daria um excelente cirurgião, e entusiasmou Dona Iente com o projeto da Faculdade de Medicina do Bom Fim. Dona Iente pagava ao negro Macumba para trazer gatos para Jacob dissecar, e pediu a Samuel que lhe desse "Lisl", a gata da casa. Samuel recusou indignado.

XV

Quem fazia Dona Iente sofrer era Rosa, a filha mais velha.

Era anormal. Tinha dentes na vagina, diziam. Duas fileiras de dentes aguçados. Tinham surgido antes mesmo dos dentes da boca.*

Essa jovem cresceu cheia de ódio, não de amor. Era mal-humorada e tinha ataques de nervos. Olhava para os homens de maneira estranha.

A mãe fez o que podia para curá-la; levou-a mesmo a sessões espíritas. Rosa saía de lá gargalhando e mais perversa do que nunca.

Ouvia-se falar muito do Dr. Rosemberg, especialista vindo dos Estados Unidos. Esse homem grisalho, de olhos míopes, que fumava cachimbo e usava um suéter tricotado por uma paciente, pôs Rosa na mesa ginecológica e examinou-a com cuidado, chegando mesmo a ferir o dedo mínimo num dente. Lavando as mãos, disse: não há dúvida, é um caso estranho, mas eu tenho um colega dentista que pode curá-la com uma simples operação.

---

* Provavelmente a mais curiosa anomalia dos dentes é a de seu achado em localizações outras que as normais. Albinus fala de dentes no nariz e na órbita; Borellus, no palato; Fabricius Hildanus, sob a língua. Carver descreve uma criança que tinha dentes nascendo da pálpebra inferior. (George M. Gould & Walter L. Pyle, *Anomalies and Curiosities of Medicine*, Julian Press, N. Y., 1966.)

Na madrugada do dia seguinte Rosa fugiu levando suas roupas e deixando um bilhete: não podia renunciar a seus dentes, eram parte dela para o bem ou para o mal.

Não foi sem dor que deixou a casa materna, o lar onde ressonavam seus irmãos e onde estava pendurado o retrato de seus avós russos. Não foi sem dor que desceu a Rua Fernandes Vieira, deserta àquela hora da madrugada; ia fitando com nostalgia as pombas que debicavam entre as pedras úmidas de orvalho. Ao atravessar a Redenção foi atacada por um homem que a arrastou para a Casa Chinesa e chegou a possuí-la, apesar de sair sangrando e apavorado. Deixou atrás de si uma Rosa violada e chorosa, mais revoltada do que nunca. Foi viver na Rua Pantaleão Telles. Durante o dia dormia, como uma coruja. À noite vagava pela rua atrás de homens. Inutilmente; sua fama tinha se espalhado, todos fugiam dela.

Mas era matreira, aquela Rosa... Recorreu a uma dentista: mandou arrancar os dentes da boca e atraía os homens para o *fellatio*. Todos queriam sentir a carícia daquelas gengivas nuas e lisas. Rosa então os induzia ao normal. Ai dos que aceitavam! Sangravam!

A família considerou-a morta. Massa Fina deixou crescer a barba, rezou por ela a oração dos mortos.

Rosa não se importava. Dizia a quem quisesse ouvir: "Tomara que os nazistas façam churrasco de todos os judeus! Raça triste!". Guardava debaixo do travesseiro uma fotografia de Hitler e uma braçadeira com a cruz gamada. Através de um cliente estava em contato com certos líderes nazistas; planejava fornecer informações secretas sobre o Bom Fim. A tal ponto chegara!

No Bom Fim diziam que estava louca.

Diziam que estava possuída por um *dibuk*, uma alma penada – alma de um *goi* que se apaixonara por ela, e, que não podendo desposá-la, se matara de desgosto; ou a alma do velho Méier, sátiro decrépito, que perseguira as mocinhas do Bom Fim até morrer de um infarto na cama de uma prostituta. Falavam disso nas longas noites de inverno, e era como se tivessem voltado para as pequenas aldeias russas. Lembravam a Cabala; lembravam os *hassidim*, místicos que chegavam a Deus pela alegria e pelo êxtase, bebendo, cantando e dançando. Os *hassidim* viam no mal a outra face do Eterno; os habitantes do Bom Fim também. No fundo sabiam que Rosa ainda era parte deles, mesmo morando entre prostitutas, mesmo entregando-se a perversões, mesmo louvando os nazistas.

Por essa época chegou de Buenos Aires um novo rabino, homem enérgico e de ideias definidas. Trouxera filho, um adolescente magro que falava pouco, lia Buber e tinha fama de cabalista. Foi esse jovem, este Daniel, que se interessou pela figura já lendária da deformada. Vencendo sua natural timidez, começou a fazer perguntas e acabou descobrindo o paradeiro de Rosa.

Falou com ela num imundo quarto de pensão. Recebeu-o mal, a feroz criatura. Tinha passado um dia atormentado, de crises de fúria, e já rasgara lençóis e cobertores com a execrável dentadura. Mesmo assim, algo no rapaz fê-la abrandar-se; convidou-o a sentar, preparou chá e conversou como qualquer moça judia normal. Daniel falou pouco, e sobre seus estudos, principalmente. Olhava-a muito e fixamente.

Bateram à porta. Era um freguês, um velho masoquista a quem Rosa açoitava vez por outra. Estava ansioso, não a via há semanas; contudo, em sinal de respeito pelo filho do rabino, ela mandou o velho embora.

Foram ao cinema; na volta tomaram chá. Daniel cantou *A iídiche mame*, Rosa tinha lágrimas nos olhos. Convidou o rapaz para vir no outro dia comer um *guefilte fish*.

– Eu sabia preparar um peixe muito bem – disse, com um sorriso triste. – Espero não ter esquecido.

A família do rapaz não tardou a ter notícias de seus encontros com a marginal. O rabino ficou muito preocupado e falou ao rapaz, pedindo que ele desistisse daquele amor cheio de perigos. Daniel porém não deixava de encontrar-se com Rosa. Passeavam à noite pelo Parque da Redenção; deitavam-se sobre a grama, sem nada dizer; a mão trêmula dele se insinuava sob a blusa dela, procurando o seio pequeno; ela fechava os olhos, arfando. De repente repelia-o e punha-se de pé. Ficava olhando as luzes do Bom Fim.

Daniel falou em casamento. Chorando, Rosa contou seu problema.

– Eu já sabia – disse ele.

– E mesmo assim queres casar comigo? – ela estava surpresa.

– Eu te amo, Rosa – disse ele.

Ela aceitou o pedido de casamento, mas fê-lo prometer que somente a beijaria. Nada mais do que isso.

– Só beijos, está bem?

Explicava-se: não queria destruí-lo.

O rabino recusou-se a abençoar o casamento e voltou com a família para Buenos Aires. Daniel queria morar na Palestina, numa cidadezinha chamada Tzfat. "Lá", dizia, "está o ar mais puro da Terra Santa; não há outro lugar onde se possa entender melhor as profundidades e os segredos da Torá." Tzfat, cidade mística, coração da Cabala! Daniel suspirava por ela. Rosa preferia o Cristal, e lá foram morar. Passeavam à beira do rio, sentindo a areia grossa debaixo dos pés nus. À noite beijavam-se, beijavam-se muito, até que subitamente ela desprendia-se dele e ligava o rádio. Ficavam ouvindo a Farroupilha. Ofegavam, tinham a boca seca e os olhos brilhantes.

– Deus há de nos ajudar – murmurava Daniel.

Rezava e consultava seus livros. Seus esforços foram recompensados: um dia a graça divina baixou sobre ele.

Concebeu um plano...

Numa noite de tempestade, em que se abraçavam e beijavam como nunca, a resistência dela foi finalmente vencida. Caíram sobre a cama.

– Louco! – gritava Rosa, desesperada. – É o teu fim, louco! Deixa-me antes que seja tarde! Vais sangrar até morrer! Nem esparadrapo tenho em casa!

Sorrindo, Daniel tirou a roupa dela.

Seu estratagema deu certo: tinha protegido o pênis com um delgado cano de cobre-níquel. Quebraram-se os dentes malignos e eles viveram felizes para sempre. Daniel veio a se estabelecer com um armazém de secos e molhados na Rua Henrique Dias; ia bem nos negócios, mas às vezes suspirava pensando em Tzfat e na Cabala. Rosa fazia *guefilte fish*. Nunca mais falou em nazistas.

XVI

Os nazistas já contavam com Rosa; ficaram furiosos ao perdê-la.

O Bom Fim estava de pé pela democracia. Organizou-se a Campanha da Borracha. Na Itália a FEB lutava de colina em colina; no Bom Fim os caminhões passavam recolhendo borracha para fazer rolar os pneus da vitória. A turma doava bolas de borracha, sabendo que Deus concederia a recompensa: o Grêmio Esportivo Israelita derrotava o Bambala e o Independente, cobrindo de glórias o Bom Fim. Joel deu a bola e mais uma câmara velha, esperando que Deus fizesse o técnico do Israelita convocá-lo. Deus jamais atendeu a este pedido, mas Joel não reclamava, porque sabia que o Senhor estava ocupado em ganhar a guerra para o Bom Fim. Hitler (Quem é que usa o cabelinho na testa? E um bigodinho que até parece mosca? Eh, eh, eh – palhaço!) espumava de raiva. Os alemães recuavam na Rússia, tinham falhado no bombardeio de Londres, estavam perdidos no norte da África... Era demais para aquele comedor de chucrute. Em desespero, resolveu invadir o Bom Fim.

O ataque veio de surpresa.

Quando a turma viu, os tanques vinham subindo a Rua Fernandes Vieira. Atrás avançavam as colunas de infantes, com lança-chamas. Carros blindados armados com metralhadoras pesadas fechavam a retaguarda. E sobre os telhados roncavam *Stukas* e *Messerschmitts*! O Joel organizou rapidamente a defesa. Com garrafas de *Charrua*, gasolina e trapos prepararam coquetéis Molotov e atacaram os tanques no cruzamento da Fernandes Vieira com Henrique Dias. Fizeram explodir dois tanques e com isso detiveram a coluna; os outros quiseram recuar, descendo a Fernandes Vieira para dar a volta pela Oswaldo Aranha e subir a João Telles, mas isso já era impossível; a rua estava bloqueada por um caminhão de lenha, cujos pneus Joel tinha furado. Imobilizados, os tanques disparavam sem cessar. As casinhas de madeira de Sruli, o vendedor de gravatas, e a de seu irmão Shime, o padeiro, estavam em chamas. A luta estava renhida. Joel decidiu que ela tinha de ser terminada no corpo a corpo. Armaram-se com fundas e paus. Da fábrica de móveis do Benjamim trouxeram o serrote, o formão, a torquês, a goiva, a pua; e uma arma secreta: um furador elétrico capaz de abrir um rombo nos peitos de qualquer nazi.

Enfrentaram os alemães no terreno baldio ao lado da garagem, onde eles estavam entrincheirados. As metralhadoras matraqueavam sem cessar. Caíram mortos Dudi, Jean e Beto. Bons companheiros! Vendo-os tombar, o coração de Joel encheu-se de ódio: "Para a frente, turma" – gritou, e lançou-se contra um ninho de metralhadoras. Levou um balaço no ombro, mas continuou avançando. Seguiam-no os fiéis companheiros serrando, cortando, puxando, fincando, esburacando, apedrejando, rachando e sangrando os alemães. Joel liquidou um nazi a socos, virou a metralhadora contra os outros e liquidou-os também.

Nesse momento ouviu tiros na retaguarda: os alemães atacavam por trás! "Estamos perdidos!" – gritou Rafael. Mas, quase ao mesmo tempo, um brado de vitória: era a turma da Vasco da Gama que vinha lá de cima em seus velozes carrinhos de lomba equipados de fundas. Traziam rojões de três tiros; apontavam contra os ninhos de metralhadoras, acendiam os pavios – e que explosões, Santo Deus! Pedaços de nazis voavam para todo lado!

Não sobrou um só. Centenas de cadáveres amontoavam-se no campinho.

Naquele campinho eles se reuniam para alisar as nádegas de um guri chamado Alberto, que tinha as coxas muito brancas e era subornado com figurinhas de Brocoió. Rafael temia que Alberto ficasse fresco: um judeu fresco! Isso não aconteceu. Alberto ficou homem, peludo e empreendedor, dono de uma imobiliária. Construiu, naquele mesmo terreno, um belo edifício com fachada de mármore e porteiro eletrônico que, dizia Alberto rindo, só não funcionava quando se falava em iídiche no microfone.

Anoitecia. As mães chamavam para o jantar. Eles voltaram lentamente para casa, lavaram os pés encardidos – e foram jantar. Os pais escutavam os noticiosos em grandes rádios de válvula. Joel não queria saber de guerra. Queria dormir. No dia seguinte levantou-se cedo e correu a espiar a rua. As pombas de sempre debicavam entre as pedras. Da grande batalha nem sinal: nem uma cápsula de obus, nem uma roda de tanque, nem uma perna decepada – nada. Só o testemunho de Joel.

XVII

Os habitantes do Bom Fim encontravam-se para discutir as notícias da guerra na frente do bar do Serafim, o Palácio do Fedor. Esse bar jamais fechava as portas; uma exceção viria a ocorrer em agosto de 1954, quando dos distúrbios por causa da morte de Getúlio Vargas. Quatro homens foram ali metralhados (o cadáver de um deles envolto na bandeira nacional e carregado nos ombros da multidão); centenas de garrafas foram destruídas; uma empregada ficou muda de pavor. Naquele dia Serafim não abriu.

Dentro, nas mesas de cafezinho, donos de loja falavam sobre negócios; contrabandistas apareciam e desapareciam. Ao fundo estavam as mesas de sinuca e os mictórios. Joel e sua turma raramente entravam no Fedor. Ali estava o terrível Elias, que não só tinha casado com uma *goi*, como ainda a trouxera para morar com a mãe, cobrindo a velha de vergonha. Essa mulher, Joel e seus amigos conheciam bem; chamava-se Madalena, e junto com suas irmãs formava o trio das mulatas sensuais da Colônia Africana. Madalena usava batom *Palermont* escarlate, extrato *Coty* e ligas com pequenas flores artificiais. Sentava-se à porta da casa pintando as unhas dos pés; depois soprava nelas para secar. Joel, Dudi, Beto e Miguel observavam em silêncio. Ela os espiava por baixo dos cílios longos:

– E daí, meus judeuzinhos? Querem me comer?

Estremeciam. Esperavam ver Elias definhar entre as garras dessa *goi* pecaminosa, o que não acontecia: ele ficava cada vez mais gordo e possante, fumava charutos, usava gravatas vistosas e manicurava as unhas. Seus negócios, feitos em voz baixa na mesa do Serafim, sempre davam certo. Chegou a ser dono de uma grande cadeia de lojas.

No Serafim, Joel viu pela primeira vez um *sefaradi*, um jovem judeu levantino, cuja família tinha vindo de Istambul, segundo uns, da misteriosa cidade de Alexandria, segundo outros. Seus antepassados, astuciosos financistas que emprestavam dinheiro aos reis de Castela, tinham sido expulsos da Espanha pela Inquisição e haviam se estabelecido na Ásia Menor. O *sefaradi* – Ely – era magro e trigueiro, ágil como um gato. Tinha olhos escuros, um sorriso debochado, e usava no dedo mínimo um anel de brilhantes. Seu pai não trabalhava, mas era rico. Tinha cavalos no Prado e dera ao filho uma égua chamada "Maktub".

– É língua árabe – explicava Ely (sua voz era um sussurro macio) – e quer dizer: estava escrito.

– Ah! – murmurava a turma, cheia de admiração.

Ely jogava sinuca. Era o jogador mais jovem do Fedor, mas os veteranos reuniam-se em torno da mesa para vê-lo dar tacadas de mestre. "Este menino vai longe", diziam.

Um dia entra no Serafim um estranho. Um alemão louco e bêbado. Chega gritando:

— Hitler vai fazer churrasco dos judeus. É o fim desta raça triste!

Todo mundo fica parado, numa expectativa tensa. Ely continua a jogar calmamente. Só se ouve o ruído seco das bolas de marfim. O alemão aproxima-se do rapaz:

— Ora, vejam só quem está jogando no meio dos homens. Cai fora, fedelho! Volta para os cueiros, judeuzinho!

Ely não responde e continua jogando. O alemão agarra-o, sacode-o: "Eu não disse que era para cair fora?", e cospe-lhe na cara.

O *sefaradi* tira do bolso um lenço alvo e limpa cuidadosamente o rosto moreno. Atira o lenço a um canto.

— Pede desculpas — murmura, encarando o alemão.

— Desculpas! Esta é boa! — o outro ri.

O levantino introduz a mão dentro de sua camisa de seda e extrai vagarosamente um punhal — um fino punhal, de cabo trabalhado. O alemão recua, de olhos arregalados; olha em volta, ri nervosamente — e bate em retirada para o mictório.

O Serafim em peso aplaude. Moishe convida o rapaz a participar do pif-paf numa roda selecionada que jogava nos altos do prédio e atravessava a noite no carteio. O próprio Moishe orgulhava-se de ter jogado uma vez de sexta à noite até segunda, sem dormir e quase sem comer. Na manhã desse dia, ao dar o troco para uma freguesa da loja, contara, tonto de sono: "Nove, dez, valete, dama...".

XVIII

O inverno não terminou sem levar o velho Leão, avô de Joel. De madrugada o velho levantou-se, como de costume, para ir à sinagoga; quando urinava na porta da cozinha teve uma tontura e caiu. Ficou horas exposto à cerração, pegou pneumonia e morreu.

Joel ficou cheio de remorsos. Ele e a turma costumavam sentar-se, à noite, sob a janela do quarto de dormir do velho Leão, que dava para a rua e que estava sempre aberta, porque a velha Pessl, mulher dele, tinha falta de ar.

Deitados, os velhos conversavam.

– Que horas são? – perguntava a velha.

– Nove – respondia o velho.

– Já? Então deixa para amanhã.

– Não.

– Mas eu estou com sono.

– Não. Ontem já se adiou. Anteontem também. Hoje tem que dar.

– Mas que besteira é essa? – perguntava a velha impaciente. – Tu não és mais guri.

– Mas ainda sou homem – Pessl era a terceira esposa do velho Leão e ele se orgulhava disso.

A cama rangia durante alguns minutos. Depois se ouvia a voz da velha Pessl, arquejante:

– Te digo, isto me mata. Me falta o ar. Não aguento mais.

– Tomaste o remédio do Dr. Finkelstein?
– Tomei.
– Então não tem perigo.
– Mas eu não aguento, Leão – gemia a velha. – Reconheço que não sou a mesma do ano passado. Faz tempo que estou te dizendo: podes procurar outra, não me importo. A gente não precisa desfazer o casamento...

– Não precisa, não é? – o velho se magoava. – Não queres perder a companhia. É só minha companhia que te interessa!

– Eu te avisei, quando casei contigo: não estou mais para essas coisas. Posso fazer tudo: comprar verduras, pechinchar com o verdureiro, cozinhar. Mas para essas coisas não dou mais, não adianta. E para ti também não é bom. O Dr. Finkelstein disse. Podes morrer do esforço.

– E o que é que tem? Sempre quis morrer assim.

– Não fala em morrer – protestava a velha.

– Por quê? Já vi tanta gente morrer. Duas mulheres, três filhos...

– Chega! Para de falar nisto!

– Por quê? Um filho também era teu. Morreu moço, coitado. Te garanto que nem teve mulher.

– Não fala nisto! – a velha chorava.

– Falo – gritava o velho, amargurado. – Falo e pronto. Não tenho medo de falar na morte. Te garanto que vou ser homem até o último minuto.

A cama rangia mais alguns minutos. A turma ria baixinho; os risos se confundiam com os guinchos do lastro de tela e os gemidos do velho. De repente o ruído cessava lá dentro; os meninos silenciavam.

– Oi – gemia o velho Leão. – Oi, oi.

– Tive uma ideia – dizia a velha, com a voz entrecortada. – Quem sabe tu comes alguma coisa? Posso te fazer ovos fritos.

– Não. Não quero.

– Quer sim. Depois vais te sentir mais alegre. Não há como a comida para alegrar a gente.

– O Dr. Finkelstein me proibiu comidas gordurosas.

– Faço com pouco azeite.

– Não.

– Mas não estás com vontade?

– De quê?

– De comer ovos fritos.

– Bom... agora que tu me falaste, sim.

– Então? Deixa-me ir na cozinha.

– Não. Fica aqui.

– Mas tu és teimoso, não é, Leão? – a velha estava indignada. – Por que não queres comer ovos?

– Olha, velha – a voz dele crescia –, vou te contar uma coisa: uma vez, eu ainda era viúvo, fui até a Pantaleão Telles e deitei com duas mulheres. Duas, está bem? E te digo: eu não tinha comido ovos naquela noite. Não preciso de ovos para ser homem.

De novo a cama. Joel ria, Mário Finkelstein ria, Francisco Zukierkorn ria.

– Nunca mais tiveste vontade de tocar violino? – perguntava a velha.

– Que pergunta é esta, mulher? – estranhava o velho.

– Me lembrei que tocavas violino muito bem.

– É verdade. Mas agora... Enxergo pouco.

– E daí? Não precisas dos olhos para tocar. Nathan toca de ouvido.

– Nathan... – suspirava o velho. De súbito, irritava-se. – Mas que é isto, mulher? Que conversa é esta? Quem quer falar de violino agora?

– Eu quis te distrair um pouco... – dizia Pessl, magoada. – Pensei que depois de uma conversa...

– Está bom.

Ficavam em silêncio um instante. A velha retomava:

– Não há um remédio para ajudar?

– Ajudar o quê?

– Isto que tu queres agora.

– Por que não falas claro? *Isto*, *isto*: vou lá adivinhar o que é *isto*? Ora. Remédio? Há. Acho que há. Bom, não sei. De qualquer jeito não preciso. Posso dar conta sozinho, ouviste? Minha natureza aguenta.

A cama começava a ranger furiosamente. A turma ria. Levantavam-se correndo e iam rir na esquina. Ria Joel, ria Mário Finkelstein, ria Francisco. Riam Abrão e Moisés, ria Rubens, ria Favinho, Fábio Blumenfeld. Se abraçavam uns aos outros e riam, se davam tapas nas costas e riam, rolavam no chão de tanto rir...

O velho Leão morreu; a velha Pessl não tardou a segui-lo. Era uma boa velha. Colocava os netos no colo, contava-lhes belas histórias da Rússia; falava também de tempos em que os homens seriam como irmãos, tempos de paz e felicidade; os meninos ouviam-na e adormeciam sorrindo. Depois da morte do marido a velha não se interessou por mais ninguém; concernia-lhe apenas viver. Sua luta era por verduras; seu inimigo, Pedro, o verdureiro. Mal ouvia seu pregão, a velha botava pela janela sua cabeça de pássaro.

– Aqui, verdureiro!

Pechinchava por cada pé de alface, por cada molho de salsa. O verdureiro se irritava, entregava as hortaliças, jogava as moedas na bolsa de couro que trazia a tiracolo, e subia a Fernandes Vieira, jurando nunca mais voltar. Mas no outro dia lá estava, discutindo com a freguesa.

Naquele verão a velha ficou caduca. – "É dia? É noite?", perguntava aos vizinhos. Montanhas de pés de alface e molhos de salsa acumulavam-se ao pé da cama. Shendl queria alimentá-la, limpar a casa, mas a velha não deixava. Finalmente ficou claro que ia morrer. Veio a ambulância para levá-la ao hospital; uma pequena multidão comprimia-se à porta da casa; e lá estava Pedro, a bolsa de couro a tiracolo. Trouxeram a velha Pessl de maca. Seu olhar mortiço pousou no verdureiro e ela ergueu a cabeça com vivacidade.

– Quanto está a alface hoje, freguês?

– Quatrocentos réis, freguesa – gaguejou Pedro, assombrado.

– Deixa por trezentos?

Puseram a maca na ambulância. De dentro ouviam-se os gritos da velha Pessl:

– Deixa por trezentos que eu levo duas!

As portas da ambulância se fecharam com estrépito, o motor roncou. A cabeça da velha apareceu na janela gradeada:

– Se deixa, eu fico. Se não deixa, não precisa. Ouviu, Pedro? Tu, sem-vergonha, tu!

A ambulância partiu a toda. A velha chegou morta ao hospital.

– Como morre gente – murmurou um dia Joel, distraído.

– É a guerra – disse Mário Finkelstein.

XIX

O verão chegava e com ele *Chanuka*, a Festa das Luzes; Joel e Nathan acenderam velinhas, lembrando os Macabeus. Depois viria o *Pessach* e eles comeriam pão ázimo, recordando a saída do Egito; e depois a Sexta-Feira da Paixão. E por fim o Sábado de Aleluia, dia em que até as pedras da Rua Fernandes Vieira estavam cheias de ódio contra os judeus. Os cinamomos baixavam seus ramos para feri-los, o feroz cão "Melâmpio" vinha do arrabalde para persegui-los latindo. Os *goim* caçavam judeus por todo o Bom Fim. No dia seguinte estariam reconciliados e jogariam futebol no campo da Avenida Cauduro, mas no Sábado de Aleluia era preciso surrar pelo menos um judeu.

Uma vez foi Miguel, o Manco; outra vez, Rafael.

Rafael foi perseguido pela turma do Bebê. Correu para casa, mas foi cercado antes de chegar lá. Agarraram-no.

– Este foi dos que mataram Cristo! – gritavam, excitados.

– Conta como foi – ordenou Bebê.

– Como foi o quê? – Rafael morria de medo.

– Como foi que vocês mataram Cristo.

– Mas eu não sei.... – balbuciou Rafael. Bebê torcia-lhe o braço. Rafael gritou de dor.

– Conta!

— Eu conto... Mas me larga o braço.

Bebê afrouxou-lhe o braço. Rafael desvencilhou-se e tentou fugir.

— Ah! Então é assim?

Derrubaram-no. Sentaram em cima dele. Adão enfiava-lhe uma varinha na bunda. Rafael gritava sem parar.

— Vai contar? — gritou Bebê.

— Vou...

— Então conta.

Deixaram que ele ficasse ajoelhado.

— Foi assim... — começou Rafael. — Ele estava preso.

— Ele, quem? Diz o nome.

— Jesus.

— O sobrenome também.

— Jesus Cristo.

— Do começo.

— Jesus Cristo estava preso.

— Por quê? Diz por quê.

— Os romanos mandaram.

— Mentira!

— Os romanos mandaram e nós também.

— Mentira!

— Nós mandamos.

— Isto. Por quê?

— Porque a gente não gostava d'Ele.

— Por quê?

— Porque — gritou Rafael — ele era diferente. Uma vez ficou quarenta dias sem comer, e a gente o que mais gostava era comer. A gente vivia com fome, comer era uma festa! Ele espalhava tristeza. Ele era *goi*.

– Bem – Bebê estava mais calmo. – E daí?

– Daí nós fomos à cadeia.

– E daí?

– Daí nós tiramos Ele de lá.

– Não.

– Não? Ah, sim. Nós fizemos o julgamento...

– Não.

– Não? – Rafael irritava-se. – Então o que foi que nós fizemos?

– Tu sabes! – Bebê torceu-lhe bruscamente o braço. Rafael gritou de dor.

– Não sei...

Começou a chorar baixinho, Bebê viu que ele não sabia mesmo e resolveu ajudar.

– Vocês puseram na cabeça d'Ele... o quê?

– O quê? Não sei...

– Uma co...

– Uma co...

– Uma coroa...

– Uma coroa... de espinhos!

– Isto mesmo! Viu como tu sabes? Quando tu queres, tu sabes! – havia até entusiasmo na voz de Bebê, e Rafael riu com ele.

Riam, Rafael e Bebê, riam sem parar, davam-se tapas nas costas, rolavam no chão de tanto rir.

– Chega – disse Bebê de repente, fechando a cara. – E depois?

— Depois...

— Não adianta querer adivinhar. Vamos logo à crucificação. Como foi?

— Nós levamos Ele para um morro. Era um morro parecido com o Morro da Velha.

— Isto mesmo... — Bebê ia aprovando.

— Lá tinha uma cruz no chão — Rafael falava agora rapidamente; esta parte ele conhecia bem. — Nós deitamos Ele em cima da cruz. Ele estava muito magro e fraco. Aí nós abrimos os braços d'Ele e botamos em cima dos braços da cruz. Ele não queria abrir a mão direita, fechava os dedos com força, mas a gente fez Ele abrir. Aí cravamos um prego na palma. O prego foi se enterrando na carne, na madeira...

Rafael chorava. Bebê soltou o braço dele, virou as costas e foi embora.

A turma dispersou-se lentamente. Rafael ficou sozinho, chorando.

Viu a grande formiga preta na calçada; tomou a varinha que Adão tinha deixado no chão e pôs-se a aporrinhar a formiga, desviando-a do caminho do formigueiro. Por fim, cansou da brincadeira, esmagou-a e foi embora.

Em *Simchat Tora* os judeus dançavam na velha sinagoga da Rua Henrique Dias, carregando os rolos da Lei. Em *Rosh Hashana* todo mundo se cumprimentava pelo ano-novo; e depois dos dez dias terríveis chegava o *Yom Kippur*, o dia da expiação, a sinagoga sombria e abafada, mal-iluminada pelas velas, era pequena para centenas de judeus que choravam e rezavam pelos que estavam sendo sacrificados na Europa. As tábuas das galerias estalavam sob o peso de pecados não expiados, o ar azedava com o hálito de bocas em jejum. Lá fora, diante da sinagoga, os guris brincavam de pegar, os rapazes lançavam olhares lânguidos para as moças de vestidos novos.

XX

O verão chegava. Às cinco da manhã, as ruas já estavam cheias de sol. As pombas passeavam no leito da rua bicando os grãos caídos entre as pedras. Nos quintais do Bom Fim o capim crescia furiosamente. Joel e a turma cavavam esconderijos para as armas. Trabalhavam em todos os quintais, no meio do capim alto, removendo tábuas podres e pedras limosas que, afastadas, revelavam um fervilhar de bichinhos. No quintal de Dudi nascia um misterioso olho-d'água; no quintal de Rafael acharam ossos enterrados junto a um antigo marco de granito. No quintal de Rute fizeram uma cabana de galhos e lá se escondiam para fumar e ouvir Raquel contar as histórias da Rainha de Sabá.

O sol queimava-lhes os crânios, eles vagueavam pelas ruas do Bom Fim. As aulas no Colégio Iídiche já tinham terminado. Jogavam futebol, pelejas ferozes que duravam um dia inteiro.

A turma de Joel joga contra a turma da Rua João Telles, no campo da Avenida Cauduro. Jogam quatorze no time da João Telles e quinze do lado de Joel – Miguel, por ser coxo, não é contado. O jogo começa às três da tarde. Às sete da noite, ganhando de 24 a 16, a turma de Joel quer ir para casa jantar – as mães estão chamando. Os da João Telles não deixam: o jogo deve continuar até o escore final combinado:

trinta. Às sete e meia, as lâmpadas dos postes se acendem. O marcador é agora de 27 a 18. Pouco depois falta luz. Joel avisa que seu time se retira.

– Covardes! – brada uma voz nas trevas.

– O jogo continua, turma! – responde Joel, furioso.

Na mais completa escuridão prossegue a partida. Procuram adivinhar onde está a bola, correm, tropeçam, chutam o chão. O ar enche-se de urros de raiva. Joel leva um pontapé nas costas e uma cabeçada no lábio, que se parte. Sugando o sangue quente e adocicado, parte para um rumo que supõe ser o da meta adversária.

De repente cessam os clamores e por um instante faz-se silêncio – o silêncio que precede as grandes batalhas.

– *Heil* Hitler – diz uma voz, e há zombaria nessa voz de sotaque estrangeiro.

– Quem foi que disse isto? – berra Joel.

Ninguém responde. A partida recomeça.

– Nazista! Onde estás? Responde, nazista!

Esse nazista, Joel caça por todo o campo correndo e chocando-se em corpos suarentos. Cerca das nove da noite atraca-se com alguém; rolam pelo chão, esmurrando-se. Joel aplica uma gravata no adversário, que estertora: me solta desgraçado... Joel reconhece a voz: é Dudi. Joel solta-o. Exausto, fica deitado na grama esturricada. Alguma coisa vem rolando e aninha-se mansamente em seu sovaco. É a bola. Joel pega a bola e vai para casa rindo. A mãe repreende-o à luz de velas.

Noites de verão. Brincava-se nas calçadas ainda quentes, jogava-se Rei e Rainha. O verdadeiro Rei era Joel; Rainhas havia muitas: Rute, a Rainha Louca; Raquel, a Rainha de Sabá. Esta envolvia-se em véus e sussurrava: "Sou morena porém formosa, ó filhas de Jerusalém...". Era para Ely que ela olhava, o magro Ely, Rei do Oriente, que jamais participava nas brincadeiras; parado na esquina, limpava as unhas com a ponta do punhal.

Noites de verão. Os habitantes do Bom Fim sentavam-se em cadeiras na calçada. Na Europa ainda havia guerra. Aqui, falava-se sobre o tempo.

Falava-se sobre o tempo abertamente, sem medo, estava-se em um país livre. Dizia-se, por exemplo, que há muitos anos não fazia tanto calor; e, se alguns emitiam esse comentário em voz um pouco abafada, outros – pelo contrário – diziam em alto e bom som, para quem quisesse ouvir, a temperatura fornecida pelos grandes rádios a válvula: 36 graus. Muitos eram ousados e previam o futuro, anunciando chuva para as próximas duas ou três horas. Baseavam-se na conformação de certas nuvens, mas muito mais na própria intuição, que usavam à vontade. Aqueles que cochichavam argumentavam que em tempo de guerra não era desejável a turbulência de um temporal. Mas não deixavam de ponderar que eram terríveis os calores de verão no Bom Fim, e que terríveis eram também as noites de inverno. Não queriam que ninguém soubesse que estavam reclamando; faziam essas confidências somente aos bons vizinhos, esperando que guardassem segredo.

Os desabridos diziam que o tempo era louco. Lembravam frios entremeados com calores, a enchente de 1941...

Perto da meia-noite soprava uma brisa suave. Falavam sobre ela: de onde viria? Do rio? Do mar? Do Atlântico? Do Mediterrâneo? Os mais imaginosos dilatavam as narinas afirmando estarem sentindo o cheiro da maresia.

Sim, falavam do tempo. É impossível trabalhar com este calor, diziam, e citavam climas mais amenos. Sim, se pudessem manipulariam o tempo – por meio de botões, quem sabe, como os dos grandes rádios a válvula. Sim, falavam; falavam até se sentirem sonolentos e então iam dormir, satisfeitos. Uma vaga inquietude apossava-se de alguns, sem que soubessem por quê.

O tempo, entretanto, sabia. O tempo, insidiosamente, docemente, estava se vingando. O tempo estava corroendo as paredes das casas, sugerindo edifícios de apartamentos novos e bonitos. O tempo estava olhando as pessoas, anotando a quem tocava a ruga, a quem tocava o cabelo branco. A noite que corresse... O outro dia revelaria os indiciados nos espelhos de moldura descascada.

XXI

O sol abrasa o Bom Fim, os vendedores de gravatas se arrastam pelas ruas, "Malke Tube", apática, quer ficar deitada. Mas Samuel precisa trabalhar como nunca: tem de mandar a família para a praia. Nathan está pálido e magro, precisa de sol. Shendl e Joel também merecem descansar. Na véspera do embarque, Joel não consegue dormir. Levanta-se a toda a hora, vai espiar os pais arrumando as malas; o coração bate mais forte quando vê os calções de banho sobre a cadeira. Deita-se, esfregando as mãos: "Já vi os calções, Nathan!". O irmão sorri. Finalmente, Joel dorme um sono agitado, logo cortado por uma buzina. É o carro de praça que vai levá-los à estação rodoviária. Joel pula da cama, tonto de sono, e caminha atarantado, tropeçando no pijama. Aperreados pelos pais, os irmãos vestem-se às pressas e saem. Nathan leva debaixo do braço seu violino, Joel empunha o revólver de baquelite. Engolem o café e saem para a rua mastigando pão dormido com manteiga.

Seu Álvaro, o chofer, espera-os encostado ao carro, um grande *Chevrolet* verde, o mais novo e enfeitado da praça. Samuel já não confia em "Malke Tube", teme atrasar-se indo de charrete. A família embarca, o carro arranca, espantando as pombas, e atravessa o Bom Fim rumo à rodoviária. Lá está o ônibus amarelo da Empresa Jaeger; junto a ele

Dona Iente e seus filhos, Dona Chava e seus filhos, Dona Chaik e seus filhos. Lá está o Rafael, Alberto e Dudi; Beto, o vesgo; Motl Liberman, que depois se tornará dentista. Francisco Zukierkorn, Abrão e Moisés, o Favinho, o Fábio Blumenfeld – toda a turma. Examinam o ônibus – conhecem todos os carros da empresa, que são numerados – verificam se há correntes para as rodas. As mães gritam, chamam pelos filhos, enchem os bancos com travesseiros e pacotes de comida – não querem que aqueles meninos magros fiquem desnutridos durante a viagem. A buzina soa com impaciência. Despedem-se dos pais, que ficam na calçada. O ônibus parte. Em poucos minutos Porto Alegre fica para trás. Joel acomoda-se nos travesseiros, tenta adormecer – sabe que assim a viagem será mais rápida, mas está excitado demais para dormir. A turma toda pula nos bancos. Cascas de banana e bagaços de maçã voam de um lado para outro. Passam pelas chácaras de Gravataí, olham com alegria as hortas úmidas de orvalho. O sol gaúcho doura os campos. Dudi faz caretas para Rute, Beto dá cascudos no coco de Joel. As mães enjoam e vomitam.

De repente: "O mar!". É o mar.

O ônibus segue pela beira da praia, fugindo das ondas que vêm lamber os pneus. Mas deve também evitar a areia macia e traiçoeira; para isso há esteiras de madeira nos pontos mais perigosos. Passam por Santa Teresinha, balneário misterioso, escondido entre os cômoros. Rafael acha que está vendo o farol de Capão da Canoa, todos acham que é mentira dele, mas no fundo *querem* que Rafael veja mesmo o farol. Finalmente, aparece o farol, e todos riem e se abraçam; pouco depois chegam a Capão da Canoa, pequena povoação na orla balneária, contando com quatro hotéis de madeira: Atlântico, Bela Vista, Bassani e Riograndense. Ruas de conchas trituradas. Charcos cheios de sapos. A carrocinha puxada pelo bode "Leibl", que Chagall pintou sentado sobre uma nuvem mirando a vila com olhar vazio. Era um animal estúpido, que se alimentava de cascas de banana e pedaços de papel velho. Por sua barbicha lembrava a Joel o professor de hebraico – um homem nervoso, que gritava: "Tu, sem-vergonha!", cobrindo os alunos de saliva.

O bode vinha caminhando pela rua, pisando as conchas trituradas e mascando lixo. Joel bloqueava o caminho; o bode desviava; Joel agarrava-o pelos chifres e derrubava-o. O bode "Leibl" se levantava. Joel tornava a derrubá-lo. Mas o bode se levantava sempre e ficava olhando para Joel, até que seu dono, um "pelo duro" de dentes estragados, vinha atrelá-lo à carrocinha. O bode puxou-a durante anos. Uma manhã encontraram-no na praia, decapitado. A cabeça, ninguém achou. Suspeitava-se que tivesse sido usada para práticas de bruxaria.

Durante o dia corriam na areia quente dos cômoros e tomavam banho de mar. À noite jogavam escova e dorminhoco no salão do hotel; às dez o gerador era desligado e as lâmpadas se apagavam. À luz de velas recolhiam-se aos pequenos quartos nos chalés de madeira. Aos poucos as luzes iam se extinguindo. Adormeciam ouvindo o trilo dos grilos e o coaxar dos sapos; a tosse dos gripados e o ronco distante do mar.

XXII

Os nazistas atacaram Capão da Canoa numa noite escura de janeiro de 1944. Chegaram em submarinos que ficaram ao largo enquanto eles avançavam para a costa em botes de borracha, estabelecendo ali uma cabeça de praia. Passava das onze horas. Todos dormiam; menos Joel que, na porta do quarto, urinava na areia, olhando o mar. Foi então que viu as lanternas piscando em código Morse. Imediatamente deu-se conta da situação. Falava-se num plano nazista de dominar Capão da Canoa e de lá invadir o Bom Fim através de um túnel secreto que, partindo dos fundos do Hotel Bassani, avançava dezenas de quilômetros, terminando em certo bueiro da Rua Henrique Dias. Rafael afirmara que esse plano tinha fundamento; Joel não lhe dera ouvidos. Agora se arrependia. Vestiu-se e foi rapidamente avisar os companheiros, batendo na porta dos quartos e sussurrando a senha. Aos poucos os amigos foram aparecendo, sonolentos e tremendo de frio. Nos chalés as famílias ressonavam, sem imaginar o perigo que corriam.

Em poucas palavras Joel explicou o que estava acontecendo. Ao mesmo tempo fez uma pequena preleção destinada a levantar o moral de seus comandados.

Não lutariam sós, assegurava. Tinham aliados poderosos.

Lá estavam, escondidos entre os cômoros: o Príncipe Submarino, o Homem de Borracha e o Sombra; Sansão e Josué; o *Golem*. Essa figura, que tinha mais de três metros de altura, fora criada do barro pelo Rabi Judah Löw, de Praga, no século XVI, para proteger os judeus da sanha de seus inimigos; agora saía de seu sono secular para enfrentar os nazis.

Ali estavam também os famosos boxeadores judeus: Daniel Mendonza, que, no século XVIII, defendeu a comunidade judaica da Inglaterra contra a peçonha dos antissemitas; Samuel Elias, o "Dutch Sam", Isaac Bittoon, Abraham Belasco e Barney Aron, "The Star of the East"; e os americanos: Benny Leonard, campeão mundial de pesos leves, invicto (lutou 210 vezes e só perdeu duas), Abe Atell, "Battling" Levinsky, Barney Ross, Maxie Rosenbloom, Al Singer, Max Baer; todos saltitando impacientes na areia úmida, trocando socos para esquentar; e o Homem-Montanha.

O Homem-Montanha era temível na luta livre. Viera da Argentina, era alto como uma torre, pesava mais de 150 quilos e tinha uma enorme barba preta. Deitado no chão, dez meninos podiam ficar de pé em cima do peito dele; não se abalava e ainda ria, sacudindo-os com seu riso de terremoto. Estava lá ao lado do Vingador, do Calunga e do Zorro; do mocinho e de seu amigo, o gozado. O gozado era um bolaço, vivia arregalando os olhos e caindo do cavalo; mas na hora da briga o gozado puxava o revólver, e não era um nem dois bandidos que ele matava!

Estavam ali os americanos, os ingleses, os franceses, os russos. E a FEB. E os fiéis "pelos duros", os nativos de Capão da Canoa. E Deus.

Os alemães também não vinham só, Joel sabia. Traziam consigo os pérfidos amarelos. E Silvana. E o traidor cão "Melâmpio", com seu único olho brilhando de raiva.

Joel viu que a hora tinha chegado. Deu o sinal. Correram e se espalharam pelos cômoros de areia em frente ao Hotel Bassani, cada um com sua arma: Beto com um lança-chamas, Jean com a soqueira-punhal, Dudi com o canivete de três lâminas, Francisco Zukierkorn com fuzil e baioneta, Motl Liberman, Pedro e Arnaldo com a bazuca. O Capitão Joel, ele mesmo, tinha uma metralhadora e doze granadas.

Ficaram deitados, quietos, sentindo a areia fina e úmida em suas barrigas nuas. Olhavam o mar, mas nada viam: era a noite sem lua, era a noite do mal.

Joel adivinhava os alemães rastejando na areia, os capacetes descidos sobre os olhos perversos, saliva peçonhenta escorrendo pelos caninos. Teve um calafrio – apenas momentâneo. Abrasado de fúria sagrada, disparou para o alto a pistola de foguetes luminosos. Uma luz branca e forte clareou a praia mostrando centenas – não, milhares de soldados nazistas avançando em direção ao balneário adormecido.

– Fogo, rapazes! – gritou o Capitão Joel.

As granadas explodiram, as metralhadoras crepitaram. Num instante a praia se transformou num inferno. Surpresos, os alemães gritavam *Ach* e *Himmel*, fazendo fogo por sua vez. Tinham muita munição, isto nunca lhes faltava, e disparavam sem cessar. As balas zuniam no ar, os *Stukas* e *Messerschmitts* roncavam sobre Capão da Canoa. Atingida por um morteiro, a casinha do salva-vidas incendiou-se. Aquilo enfureceu Joel; levantou-se e, gritando: "Sigam-me, amigos!", desceu correndo o cômoro. Os bravos o seguiram para o corpo a corpo. Os punhais entraram em ação. O Capitão aplicou uma chave inglesa num boche e degolou-o; deu um pontapé na barriga de outro imundo nazista e matou-o também. À sua volta americanos e amarelos atracavam-se, Barney Ross matava alemães a murros, o mocinho disparava dois revólveres. "Malke Tube" e "Melâmpio" lutavam junto ao mar. O Homem-Montanha pegava dois inimigos pelo pescoço, batia-lhes as cabeças e eles desmaiavam. Os "pelos duros" lutavam com coragem.

De repente, o Capitão teve uma ideia… chamou Beto e Dudi, pegaram metralhadoras e correram para o mar flanqueando o inimigo. Avançaram cautelosamente na água rasa. Minúsculos animais marinhos mexiam-se sob os pés de Joel e ele teve um arrepio, pensando nos siris; a um brado seu os companheiros correram para a praia, as armas vomitando fogo. Os nazis caíam como moscas; apanhados na armadilha, eram varados pelas balas, soqueados pelas soqueiras-punhais, esmagados a coronhaços, furados pelas baionetas, queimados pelos lança-chamas, destroçados pelas granadas, cortados pelos canivetes, iluminados pelos foguetes luminosos e rebentados a pontapés. Tripas juncavam a areia, dentes voavam pelo ar. De repente um sargento americano gritou: "*Look! The flying Jew!*". Joel olhou: iluminado pelo clarão das chamas, indiferente aos *Stukas* e *Messerschmitts* que zuniam ao seu redor, Nathan voava sobre a praia, tocando violino. "Nathan!", gritou Joel, aflito. "Vai-se embora! Isto não é para ti!" Nathan sorriu e desapareceu.

Os nazistas batiam em retirada, desarvorados. O Capitão já ia gritar: "Vencemos, amigos!", quando uma explosão jogou-o ao chão. Levantou-se ainda tonto e olhou para o mar; um submarino tinha avançado até a praia e disparava seu canhão sobre Capão da Canoa!

– Mas eu dou um jeito nisto! – disse Joel, furioso.

Correu para o mar, jogou-se na água fria e nadou rapidamente até o submarino. Na proa, os nazistas carregavam o canhão, praguejando: "*Ach!*", "*Himmel!*". Joel içou-se ao tombadilho e rastejou silenciosamente até a torre, cuja portinhola estava aberta; com os dentes tirou o pino de segurança de sua última granada, jogou-a lá dentro, saltou n'água e afastou-se em braçadas rápidas. A explosão fez estremecer Capão da Canoa, o mar ficou juncado de pernas e braços. "Bom serviço, Joel!" – disse Joel.

Na praia a turma descansava, comentando os lances engraçados da luta e rindo. Como riam! Ria Mário Finkelstein, o filho do Dr. Finkelstein; ria Rubens, ria o Favinho, Fábio Blumenfeld. Riam Sansão e Josué, ria Barney Ross, ria o Homem-Montanha, dando tapas na barriga peluda. Abraçavam-se uns aos outros e riam, davam-se tapas nas costas e riam, rolavam no chão de tanto rir.

Assim terminou a batalha do Bom Fim. A torre do submarino deu à praia. Muitos anos depois ainda podia ser vista lá, enferrujando ao sol. Quanto aos cômoros, os rapazes levavam gatinhas para lá... Muitos anos depois. As estradas já eram asfaltadas, as casas eram de material, e até luxuosas, luz não faltava. Quanto às gatas, eram morenas e de longos cabelos negros. Os rapazes ofereciam a elas uísque e cigarros. Elas riam, nervosas. A turma também ria, mostrando os dentes brancos bem cuidados pelos dentistas. Era tarde da noite. Os cômoros, agora reduzidos a suaves elevações, alvejavam ao luar. As gatinhas soltavam filetes de fumaça pelas narinas frementes. A mão trêmula da turma se introduzia sob a blusa das gatas, procurando o seio pequeno; elas fechavam os olhos, arfando; a turma se deitava sobre elas...

Depois da batalha, Beto lembrou que os nazistas poderiam atacar novamente no inverno, época em que ninguém vinha a Capão da Canoa: os hotéis, batidos pela chuva e pelo vento, ficavam fechados. Rafael sugeriu a formação de um exército de "pelos-duros", mas isso não parecia necessário: a guerra estava no fim.

Terminado o veraneio, voltaram para o Bom Fim. As férias escoaram-se depressa e breve já estavam carregando as pastas cheias de cadernos, a caminho do Colégio Iídiche. Naquele ano muitos terminariam o primário e começariam o ginásio no Júlio de Castilhos; depois fariam o científico e depois o vestibular para Medicina, Engenharia, Direito; e outros fariam Odontologia, Química e Filosofia.

XXIII

O inverno chegou, com chuva e minuano.

"Malke Tube" arrastava a charrete pelas ruas enlameadas do arrabalde. Na boleia, um Samuel desanimado tremia de frio. É verdade que o cão "Melâmpio" tinha sumido (a carrocinha o levara, diziam; só Joel sabia que ele tinha morrido na batalha de Capão da Canoa, liquidado por uma patada de "Malke Tube"); mas o trabalho estava cada vez mais difícil. Com o término da guerra, grandes lojas surgiam na cidade e nos bairros, os crediários sugavam os fregueses de Samuel. Enxotado, ele ia comerciar cada vez mais longe. Finalmente começou a subir o distante Morro da Velha, lugar de más estradas e de crioulos silenciosos e pobres.

Uma noite, Samuel voltou para casa mais angustiado do que nunca, e completamente bêbado. Não tinha cobrado um só centavo e bebera o que tinha no bolso. "Malke Tube" não queria entrar na cocheira; não tinha comido e a palha onde deitava estava molhada. Samuel espancou-a até cansar. Depois entrou em casa e, sem falar com Shendl, deitou-se como estava, de roupa e botas enlameadas. Em sua cabeça dançavam as doidas aldeias russas. Samuel ria, ria; finalmente, adormeceu...

Naquela mesma noite o último quinta-coluna do Bom Fim resolvia cumprir sua derradeira missão:

colocar uma bomba na Rua Fernandes Vieira. Há muitos dias deveria ter executado a tarefa, mas faltara--lhe coragem: afinal, a guerra estava terminando, valia a pena correr riscos? "Mas tem de ser feito e será feito", pensa, caminhando de um lado para outro em seu quarto de pensão. "Às duas da manhã."

Às duas da manhã Samuel acorda, cheio de remorsos: não pode mais sustentar a família, bateu em "Malke Tube", é inepto e perverso. Resolveu se matar. Levanta-se e sai silenciosamente.

Às duas da madrugada "Malke Tube" desperta sobressaltada, as coçadas orelhas empinadas. Levanta-se de um pulo, rompe a frágil corda que a prende e sai num trote lento.

Samuel caminha pela rua deserta. Sua decisão se fortalece à medida que avança: não deve voltar, não deve sobrecarregar a família; poderão viver com a modesta pensão que ele vai deixar. Preocupa-o somente encontrar um meio de morrer; é então que vê um edifício em construção, um prédio de dez andares. Elias o constrói; Elias, o devasso, o vencedor.

O quinta-coluna sai de sua pensão carregando um embrulho debaixo do braço. Anda por avenidas desertas, passa por sinaleiras apagadas. Atravessa a Redenção em meio ao nevoeiro, pisando em insetos mortos: besouros, uma barata de patas finas e secas. Junto à Casa Chinesa, um pederasta de lábios úmidos chama-o: "Vem cá, quinta-coluna lindo". Ele prossegue sem se voltar.

Da última laje do edifício, Samuel vê o Bom Fim, Petrópolis, Três Figueiras, o Morro da Velha. "Como é alto!" Acha até que está vendo o mar.

"Malke Tube" chega ao prédio; fareja em torno, indecisa. Finalmente entra. No grande vestíbulo empilham-se canos, lajotas, sacos de cimento. No escuro a égua avança; tateando cautelosamente, adianta ora uma, ora outra pata. Dá com a escada e começa a subir. Nos primeiros andares é lento o seu progresso, mas a partir do sexto piso já galopa como se estivesse no campo.

O quinta-coluna detém-se diante de um prédio alto, ainda em construção. "Eis um bom lugar", murmura. "Se este edifício cair, arrasa umas vinte casas ao redor." Olha ao redor: ninguém. Ajoelha-se, abre o pacote, e à luz da lâmpada do poste começa a preparar a bomba.

De cima, Samuel observa com curiosidade o trabalho do homem: o que estará ele fazendo, àquela hora, no Bom Fim? De repente uma suspeita atravessa-lhe o cérebro; e nesse momento ouve um relincho atrás de si: é "Malke Tube" que chegou ao alto. "Malke Tube!" grita Samuel, surpreso e alegre. Lá embaixo, o quinta-coluna está indeciso: não sabe se, para fazer funcionar a bomba, deve prender um fio vermelho num pino vermelho e um fio preto num pino preto, ou se é o contrário. E "Malke Tube" hesita: Samuel quer abraçá-la, atrapalha-se, tropeçam – e caem na escuridão!

O quinta-coluna ouve o grito e o relincho, levanta os olhos e vê a massa escura desabar sobre ele; e no instante seguinte não vê mais nada.

Samuel perde momentaneamente os sentidos; quando se recupera, constata que está preso debaixo do corpo da égua. Junto com ele, o quinta-coluna. Com dificuldade Samuel introduz a mão sob a blusa do outro; o coração não bate.

Samuel quis morrer. Agora, pensando na família, muda de ideia. Tenho de sair disto, resmunga, e lança-se ao trabalho. Tira do bolso o canivete, dá um talho no ventre do animal. Vê-se envolto em intestinos quentes que lhe dificultam os movimentos. Corta furiosamente à esquerda e à direita, livra-se da trama incômoda; afasta o baço e o fígado, fura, sem querer, o estômago; escorrem em seu rosto restos da última refeição, talos de capim, flores digeridas. Prosseguindo sem cessar, chega à coluna vertebral. Essa forte estrutura quase o faz desistir, mas então toma novo alento, quebra vértebras com o cabo do canivete, abre um rombo no couro rijo. Um sorvo de ar fresco reanima-o; um derradeiro esforço, e ele salta fora, dando graças a Deus.

Um débil relincho fá-lo voltar-se. "Malke Tube" agoniza. Samuel ajoelha-se ao lado dela, os olhos cheios de lágrimas.

– "Malke Tube", minha linda!

Sente que precisa fazer algo. Sobe correndo a Fernandes Vieira, rumo aos Moinhos de Vento. Sabe de um jovem e competente veterinário, filho de um grande fazendeiro, professor da faculdade. Vai trazê-lo, a qualquer preço, para atender sua "Malke Tube"!

Descobre a casa, um palacete sombrio com colunatas de mármore; faz soar nervosamente a campainha. Os criados, surpresos e assustados diante daquele homem desgrenhado, sujo de sangue, não querem acordar o patrão. Samuel livra-se deles e sobe correndo as escadas de mármore.

O veterinário está na cama com a esposa, que grita de terror. Em seu mau português Samuel explica o que aconteceu, pede que ele venha depressa. Impressionado, o veterinário veste-se e apanha sua maleta. Ele e Samuel embarcam numa grande limusine preta, descem a Fernandes Vieira a 120 por hora.

"Malke Tube", a égua do passado glorioso, a rainha dos arrabaldes, a matadora do cão "Melâmpio", está à morte. Samuel fala-lhe ao ouvido, promete a melhor grama do Campo do Polo. "Malke Tube" já não o escuta. Mas, ao ver o veterinário, ela levanta a cabeça. No rosto do jovem doutor reconhece as feições corajosas dos Soares de Castro. Um derradeiro brilho surge nos olhos da égua; um suspiro, e ela morre. Ajudado pelo veterinário, Samuel transporta o corpo para a cocheira.

Começa a amanhecer. Pombas passeiam no leito da rua, bicando grãos caídos entre as pedras. Samuel chora silenciosamente. Enxuga as lágrimas, entra em casa e torna a deitar-se.

Ao despertar, já com o sol alto, não recorda o que aconteceu.

– "Malke Tube" morreu – anuncia Shendl, sem emoção. E Samuel afunda em sua miséria como num mar.

XXIV

Inconsolável, Samuel voltou-se para a gata "Lisl".

A gata era velha e toda branca. Sua função na casa era perseguir um rato cinzento chamado "Mendl", que à noite galopava, gordo e ativo, sobre o forro. Com o decorrer dos anos, dividiram os territórios: abaixo do teto reinava "Lisl"; acima, estava "Mendl". Além disso, o rato tinha permissão de descer duas vezes por dia para se alimentar.

Samuel voltava para casa sujo e cansado; sentava-se na poltrona desconjuntada, tirava os sapatos enlameados e "Lisl" pulava para o seu colo. "Este é o meu melhor momento", dizia ele, falando em iídiche com a gata. Dava-lhe leite, sob o olhar rancoroso de Shendl, que achava um crime desperdiçar comida com um animal. Antes de deitar Samuel colocava a gata no forno ainda quente do fogão a lenha, para que ela dormisse aquecida. Na manhã seguinte Shendl abria a porta do forno e "Lisl" saía pedindo seu pires de leite. Shendl enxotava-a e acendia o fogão, resmungando contra seu preguiçoso marido. Samuel agora não se levantava antes das nove horas. "De que me adianta?", dizia. "Não vendo nada mesmo."

Numa madrugada Shendl acordou com febre e dores nas costas; tentou despertar o marido, mas não conseguiu; mesmo doente, levantou-se e foi para a cozinha. Acendeu o fogo, abanando as débeis chamas que surgiam entre as achas úmidas. Tossia e lacrimejava. Pensou em voltar para a cama, mas Joel já estava de pé, pedindo o café. Samuel roncava; tinha bebido muito na noite anterior. Pelas nove, entretanto, acordou com um cheiro de carne assada a lhe invadir as narinas. "Churrasco!", pensou. "Há quanto tempo não havia churrasco aqui em casa!" Levantou-se e foi até a cozinha; Shendl chegava da rua, farejando assustada.

Abriram a porta do forno e lá estava "Lisl", com a cabeça entre as patinhas, assada.

– Ela estava prenhe... – murmurou Samuel, ajoelhando-se.

Shendl murmurava explicações confusas.

– Cala a boca, mulher – disse Samuel.

– A culpa também é tua. Tu...

Agarrando a gata morta pelo rabo, Samuel avançou contra a mulher.

– Toma!

Batia-lhe na cabeça, nas costas. Shendl gritava e procurava se proteger.

– Desgraçada! Mulher estúpida! Não cuidas de nós, miserável!

Shendl fugiu, correndo pela casa. Samuel a perseguia, virando móveis e quebrando louças, surrando-a sem cessar com o corpo da gata. Finalmente o rabo partiu-se e o que restava de "Lisl" voou pela janela. Samuel pendurou o rabo seco sobre sua cama e não falou com Shendl durante uma semana.

Chagall retrata a gata "Lisl", com rosto quase humano, sentada sobre uma nuvem no céu. Observando-se bem, vê-se que ela não tem rabo.

Desgostoso com a morte de "Lisl", o rato "Mendl" resolveu abandonar a casa. Desceu a Fernandes Vieira, atravessou a Oswaldo Aranha e chegou até a metade do Parque da Redenção; ali foi morto a pontapés por um pederasta sádico.

XXV

Pobre, Samuel tinha de fazer curiosos cálculos para sobreviver. "Vejamos", dizia ele, examinando os sapatos. "Se eu sair hoje, talvez consiga vender alguma coisa. Mas talvez não. E quanto de sola gastarei nessa tentativa? E, se tiver de botar uma sola nova, sem ter vendido nada? O prejuízo não será maior? Melhor é não sair". Ficava em casa.

Foi então que Shendl ganhou na loteria. Quando Dona Iente – sempre a primeira a saber – lhe deu a notícia, correu à sinagoga para agradecer a Deus. Depois foi para casa e contou à família. Joel e Samuel riam e se abraçavam; davam-se tapas nas costas, rolavam no chão de tanto rir; depois, sentaram-se à mesa, os olhos ainda úmidos de lágrimas, para decidir o que fazer com o dinheiro. Resolveram consultar Dona Iente, a viúva empresária. Esta sugeriu a compra de um instrumento de trabalho: um automóvel, para que Samuel pudesse trabalhar em bairros mais distantes, ainda não atingidos pelos crediários.

Na realidade, o dinheiro da loteria não era muito. Deu só para comprar um velho *Ford*. Samuel entrou numa escola de motoristas; por insistência da mulher deixou de beber para dirigir melhor. Não era bom chofer; ao parar o carro puxava a direção como fazia com as rédeas de "Malke Tube"; e confessava a todos que preferia a charrete. O *Ford* era imprevisível. Samuel nunca sabia se a máquina ia pegar nas manhãs de inverno. Frequentemente não pegava e ele tinha de recorrer ao mecânico alemão. Esse sinistro personagem chegava, pousava no chão a caixa de ferramentas, empurrava Samuel para um lado e durante meia hora mexia na máquina até fazê-la funcionar. Resmungava qualquer coisa a respeito do distribuidor. Samuel não entendia nada desses termos técnicos. "Se ao menos ele falasse em iídiche", dizia à mulher. Além disso tinha um tremendo azar. Os acidentes se sucediam; certa vez, ao descer o morro, resolveu correr mais do que de costume; a tampa do motor abriu-se com o vento e ergueu-se no ar, tirando-lhe a visão. O carro foi de encontro a um barranco e Samuel quebrou o nariz.

Apesar de tudo, o dinheiro começou a entrar, graças às vendas que Samuel fazia no Morro da Velha.

Um dia desceu as estradas do Morro particularmente satisfeito; tinha vendido vários vestidos rosa com flores verdes e cobrado contas antigas. Foi então que cruzou com um enorme *Chevrolet* verde, todo enfeitado; Samuel reconheceu o antigo carro do seu Álvaro. Ao volante vinha o cabo João Bode.

O cabo também reconheceu o homem que tinha vazado o olho de seu fiel cão "Melâmpio", agora falecido. "Para, cachorro!", gritou. Samuel acelerou e fugiu. O cabo deu volta e pôs-se a persegui-lo. Corriam para cima e para baixo nas estradas do Morro, perseguidos por centenas de cães e levantando nuvens de poeira. Os habitantes observavam a perseguição em silêncio, mascando talos de capim. Finalmente os dois carros chegaram a um descampado. Samuel viu que o ponteiro da gasolina estava quase no zero. Um súbito desespero apossou-se dele; "Não fujo mais!", gritou, e travou o carro. Em seguida fez uma manobra e esperou o *Chevrolet* de frente. O cabo aproximou-se lentamente. Deteve seu carro em frente ao de Samuel e observou o inimigo. Quase ao mesmo tempo os dois engataram uma primeira e avançaram. Os carros chocaram-se em meio ao ruído de ferragens e vidros partindo-se. Recuaram alguns metros, olharam-se de novo e avançaram. Faróis e copos voaram pelos ares, as portas se abriram.

Vezes sem conta voltaram a se encontrar como doidos cavaleiros medievais. O *Chevrolet*, maior e mais forte, levou a melhor. O *Ford* estava quase destroçado; os para-lamas amassados comprimiam os pneus, impedindo o carro de se mover.

João Bode partiu rindo. Samuel desceu do auto e contemplou a ruína. Do tanque de gasolina, furado, torrentes de combustível escapavam num manso gorgolejar. "Mas eu tinha gasolina!", foi a primeira coisa que Samuel pensou. "E o mecânico alemão me garantiu que o marcador estava bom..." Sentou-se numa pedra, a cabeça entre as mãos. Levaram-no para casa.

Chamado, o mecânico alemão disse que podia consertar o carro, mas que tinha de esperar peças de São Paulo.

Samuel, Shendl, Joel e Nathan revezavam-se na guarda ao veículo. Viram o *Ford* cobrir-se de poeira vermelha; viram os pneus se esvaziar aos poucos, a borracha apodrecendo; viram os nativos do Morro quebrar os vidros a pedradas. E, quando as peças finalmente chegaram, o mecânico examinou novamente o carro e concluiu que já não valia a pena o conserto.

No mesmo dia os grandes rádios a válvula anunciavam em todo o Bom Fim: a guerra tinha terminado.

XXVI

Nas últimas semanas da guerra Joel preocupava-se com Hitler. Temia, com razão, que o ditador pudesse escapar ao castigo. A pedido dele Rafael elaborou uma série de planos para matar Hitler. Entre eles:

– Pintar suásticas nas portas das igrejas, com o nome de Hitler embaixo, para atrair sobre o *Führer* a ira de Jesus Cristo;

– Treinar um exército de animais: *tatus*, que avançariam sob a crosta terrestre até o refúgio de Hitler; *pica-paus*, que abririam um buraco na porta; *cobras*, que matariam os guardas; e, finalmente, a liquidação de Hitler estaria a cargo de *abelhas*.

E ainda: veneno na mostarda do cachorro-quente, bombas transportadas por pombos-correios, pandorgas gigantescas com punhais na cauda etc.

A guerra terminou e Hitler desapareceu sem que nenhum desses recursos pudesse ser usado. E a imagem terrível do ditador começou a se atenuar. Ora, diziam alguns, não é verdade o que contam, que Hitler extraiu com a ponta da baioneta o olho de uma criança de dois anos, pondo-o na boca e fazendo-o estalar entre a língua e os dentes como se fosse uma uva. Disporia Hitler de uma baioneta? Como teria arrancado o olho sem vazá-lo? Será que ele gostava de uva?

Uma tarde Joel vai caminhando pela Avenida Oswaldo Aranha quando o vê – Hitler. Está sentado num bonde J. Abott, junto à janela. Mais velho, com o bigode maior – mas é Hitler; indiscutivelmente é Hitler.

Lentamente ele volta a cabeça e olha para Joel. Durante um minuto encaram-se. Depois o bonde parte rumo a Petrópolis.

Joel chega em casa pálido e tremendo; vomita. A mãe precipita-se sobre ele, arrasta-o para a cama, aplica-lhe um clister. A água tépida marulha docemente no intestino de Joel, limpa-o, mas ele não melhora. Tirita sem cessar. Vem o Dr. Finkelstein, diagnostica uma infecção e, depois de dois dias de luta, salva-o com o novo remédio: sulfa.

Joel, porém, já não é o mesmo. Emagreceu, tem o olhar esgazeado. Carregando dentro de si um segredo que não pode revelar, anda pela casa como um sonâmbulo. A mãe enche-o de caldos fortes, amarra-lhe um pano à cabeça.

Joel, finalmente, tem alta e sai para a rua. É um dia de primavera e ele caminha sem destino pelas ruas do Bom Fim. Os amigos o cumprimentam, convidam-no para jogar, mas ele faz como Nathan, sorri apenas, e não responde.

É então que vê Hitler pela segunda vez; está na parada do bonde. Joel detém-se, o coração batendo forte. O bonde aproxima-se; é Petrópolis, Hitler vai tomá-lo.

Joel é um convalescente, sabe que sua saúde não pode correr riscos. Mesmo assim, avalia rapidamente a situação e decide-se. Quando o bonde arranca ele já está dentro, escondendo-se entre as pernas dos passageiros, controlando Hitler furtivamente.

No fim da linha, Hitler desce. Um velho caminhão está estacionado numa rua lateral. Hitler entra na cabina, senta-se ao lado do motorista; Joel sobe atrás, esconde-se perto do gasogênio, cobre-se com uma velha lona. Está escuro ali, quentinho como um ventre. O caminhão arranca. O coração de Joel bate forte; duas vezes ele ousa espiar: na primeira, o caminhão está passando pelas Três Figueiras; na segunda, aproxima-se do Morro da Velha.

O caminhão sobe lentamente o morro pelas estradas esburacadas. Finalmente detém-se. Joel olha: é um velho palacete, com colunatas de mármore. O portão está fechado com um cadeado enferrujado. Há uma pequena piscina, com poças de água pútrida, onde flutuam sapos mortos. A impressão é de abandono, mas Joel não se engana; conhece a astúcia nazista.

Quando anoitece ele salta do caminhão e se aproxima da casa. Escala um muro e espia; através de uma janela de vidros sujos e quebrados distingue vultos, iluminados por um candeeiro. Hitler reunido com seus asseclas. Na parede, a cruz gamada. Hitler fala, gesticula. Todos levantam o braço: *Heil*!

Um guarda aproxima-se do local onde Joel está. Do alto do muro, ele salta sobre o nazi, domina-o, tira-lhe o revólver, prostra-o com uma coronhada. Pé ante pé aproxima-se da entrada. "Agora!", murmura para si mesmo. Põe a porta abaixo com um pontapé, entra correndo e disparando. Gritos. Uma explosão. Uma fumaça acre enche a casa...

Finalmente, um vulto sai de lá, cambaleando...

Quem, senão Joel? Quem, senão Joel, que segura o ombro ensanguentado, mas sorri mesmo assim? Quem, senão o Rei e Capitão?

É noite.

Joel volta para casa. À porta está o pai, chorando. Joel corre para ele. Nathan morreu.

Nathan, a pálida criatura, o ser alado, tivera uma hemoptise fulminante tocando *A iídiche mame*. Na mesa da cozinha está o violino manchado de sangue.

Velam em silêncio o pequeno cadáver. Joel, Shendl, Samuel, o padeiro Shime, Alberto, Rafael, Dudi, Miguel, o Dr. Finkelstein, Raquel, Rute, Jean, Elias; Motl Liberman, que depois se tornou dentista.

XXVII

Demoliram a casa de Obe, o "Torto", demoliram a casa de Favinho, Fábio Blumenfeld, demoliram a fábrica de móveis de Benjamim. Construíam edifícios, dezenas de edifícios pelo Bom Fim, prédios de oito apartamentos distribuídos em quatro pisos, com fachada de granitina rosa ou amarela, e nomes de mães judias: Edifício Iente, Edifício Chava. Os habitantes do Bom Fim atravessavam a fronteira, a Avenida Oswaldo Aranha, e iam habitar ao sul do Bom Fim, em ruas recém-urbanizadas: Augusto Pestana, Jacinto Gomes, parte nova da Ramiro Barcelos, em frente ao Campo do Polo, onde os cavalos não mais pastavam. E subiam em direção a Petrópolis, ao Alto Petrópolis. Pela manhã desciam ao centro, onde estavam as lojas de móveis e eletrodomésticos, os escritórios de representações, as imobiliárias. Iam e voltavam de automóvel, não mais de bonde ou charrete.

Joel terminou o ginásio no Júlio de Castilhos; sua voz ficou grossa e ele tinha certos sonhos. Ficava fora de casa até muito tarde. Uma noite, quando voltou, encontrou a porta de casa escancarada, as luzes acesas, os móveis virados; soube de vizinhos que sua mãe tivera um ataque de nervos e fora levada para o Pronto Socorro. Joel correu para o hospital; falou com uma enfermeira chamada Marieta. Essa mulata sensual lhe disse sorrindo que Shendl fora levada para um hospital psiquiátrico.

Lá, Joel encontrou a mãe cantando em iídiche, falando docemente com Nathan e xingando a gata "Lisl". "Pobre mãe", pensou Joel, as lágrimas correndo entre as espinhas do rosto.

Samuel e Joel. Uma mulher vinha da antiga Colônia Africana e fazia comida para eles, resmungando. Comiam em silêncio e sem apetite. A mulher lavava os pratos, arrumava um pouco a casa e se ia. Eles ficavam sentados à mesa. Falavam pouco. Às vezes jogavam pif-paf, mas tinham de parar porque Samuel começava a chorar. Deitavam-se, mas não dormiam. Sobre o teto já não corria o rato "Mendl"; ouviam apenas a casa ranger e estalar com o vento. Lá fora, na escuridão, os espíritos bailavam: Nathan tocando violino; Macumba com a marmita na mão; "Malke Tube"; Marcos, de braços e pernas finos e secos como patas de barata. "Tenho de ficar rico", pensou um dia Joel. "Meu Deus, tenho que ficar rico. A pobreza mata."

XXVIII

Joel começou a trabalhar com Ely na venda de joias. Pensava em entrar para a faculdade, mais tarde, mas agora precisava de dinheiro. Encontrava-se com o levantino no Serafim; dividiam a mercadoria e saíam a percorrer a clientela. As freguesas gostavam do cabelo ruivo de Joel, de seus olhos verdes. "Exótico", diziam. O dinheiro começou a entrar.

Joel e o pai tiveram de sair da casa na Fernandes Vieira. O proprietário ia construir um edifício. Joel alugou um apartamento no centro, pequeno, mas com um sofá vistoso, toca-discos e um bar com bebidas estrangeiras. Samuel chorou quando fizeram a mudança. Estava velho, já tinha cabelos brancos e tremia um pouco. Não gostava de novidades. Uma noite, já no novo apartamento, acordou ouvindo risos abafados. Foi até o quarto do filho. A porta estava fechada. Espiando pela fechadura, viu-o na cama com duas morenas.

– Duas! – murmurou assombrado. – E *goim*!

No dia seguinte disse a Joel que ia se mudar. Alegou que não gostava de elevadores e pediu ao filho que lhe arranjasse uma casinha no Bom Fim.

– Não há mais casinhas no Bom Fim – disse Joel impaciente. – Só edifícios.

Apartamento, o pai não queria. Joel acabou por arranjar-lhe uma casinha como ele desejava – mas longe, no sopé do Morro da Velha. Era de madeira e tinha quatro peças. Todos os dias uma mulher descia do morro para fazer a limpeza. Samuel zanzava pela casa; a mulher afastava-o impaciente.

Por aquela época chegou da Europa um primo de Samuel, sobrevivente dos campos de concentração, onde perdera toda sua família. Era um homem soturno, atormentado por tiques nervosos; conservara tatuado no braço o seu número do campo.

Tinha uma mania: não entrava em *Volkswagen*; nem em *DKW*, nem em *Mercedes-Benz, Ford, Chevrolet, Renault, Citröen, Volvo, Skoda* e até mesmo *Fiat* – todos estes ele admitia. No início não tinha problema em andar de automóvel, mas aos poucos os *Volkswagen* foram se multiplicando e os *DKW* não ficavam muito atrás. Tornou-se difícil encontrar um táxi que não fosse *Volkswagen*; optou por andar sempre de ônibus, mas uma vez verificou, apavorado, que quase embarcara num *Mercedes-Benz*. Nesta situação quase não saía de casa, a não ser para andar a pé. Caminhando por sua rua descobriu que a farinha era entregue à padaria num caminhão *Mercedes-Benz* e que o supermercado tinha uma frota de *Kombis*. O dono da mercearia andava numa perua *DKW* cuja máquina, segundo afirmava, era a original alemã. A comida lhe repugnava e ele só se alimentava de ovos (tinha um galinheiro nos fundos de casa). Não lia jornais nem ligava a televisão, para não ver as propagandas do *Karmann Ghia* e do *Fissore*.

À noite caminhava pela casa sem poder dormir, o rosto molhado de suor; e, quando finalmente conseguia adormecer, as buzinas despertavam-no sobressaltado. Pensava muitas vezes em morrer, mas, dizia para si mesmo (e até ria), sei que no dia do enterro a empresa funerária vai estrear um novo carro e posso até imaginá-lo! uma grande limusine preta, marca *Mercedes-Benz*.

Joel quis que o pai fosse morar com esse parente. Samuel recusou, dando como motivo a esquisitice do outro. Preferia morar sozinho; distraía-se lendo, nos jornais em iídiche, notícias sobre o Estado de Israel. Lá, em 1948, tinham formado dezoito novas colônias agrícolas em uma noite. Dezoito! E Israel tinha vencido sete países árabes na Guerra de Libertação. Samuel sentia-se orgulhoso. Quando visitava Shendl no hospital, falava-lhe sobre Israel, mas a mulher nem sequer o ouvia; passava agora o tempo ninando um boneco de pano a que chamava de Nathan.

Aos domingos pela manhã Samuel tomava um ônibus e descia na frente do Serafim. Ali encontrava muitos amigos: um *polisher* aqui, um *litvak* ali, um *galitzianer* mais adiante, um grupo da Bessarábia. Mãos enterradas nos bolsos das japonas, chapéus no alto da cabeça, nucas avermelhadas, conversavam sobre política, comércio, Círculo, Grêmio Esportivo, Estado de Israel. Samuel ia de um grupo a outro perguntando, não sem aflição:

– Tens visto Joel? Ele tem amantes?

Ia à sinagoga por ocasião do *Rosh Hashana* e do *Yom Kippur*; pedia perdão por seus pecados em voz alta e aguda. Às vezes esmurrava o peito, depois a cabeça, depois rolava pelo chão. Levavam-no para fora, pediam que se acalmasse.

Chorava também quando assistia às comemorações pelo *Yom Hagueto*, o dia em que se relembrava a resistência dos judeus no gueto de Varsóvia. Havia solenidades em vários lugares, oradores convidados usavam da palavra.

– Vocês, judeus – dizia um deputado – foram heróis. Quem resistiu nas casas em chamas do gueto de Varsóvia salvando a honra da humanidade?

Ninguém respondia.

– Vocês, judeus – afirmava o orador. – E quem soube recobrar-se valorosamente dessa chacina?

Novo silêncio.

– Vocês, judeus!

Samuel soluçava alto. "Silêncio"!, gritava o público. Levavam-no de volta para o Morro da Velha.

XXIX

Dos nazistas, o único sobrevivente na batalha de Capão da Canoa foi um soldado chamado Ralf Schmidt. Estava junto aos cômoros e foi dos que mais sofreram: o Homem-Montanha aplicou-lhe uma chave de braço; Barney Ross acertou-lhe dois ou três *jabs*, "Malke Tube" deu-lhe uma patada no peito, e finalmente a explosão de uma granada lançada por Joel atirou-o ao mar, para além da rebentação. Lá ficou Ralf Schmidt a boiar, meio inconsciente, enquanto seus companheiros eram exterminados. Uma corrente marinha arrastou-o, e pela madrugada ele deu a uma praia deserta. Ali ficou vivendo; construiu uma toca na areia e alimentava-se de minúsculos animais marinhos.

Um dia o vento arremessou-lhe ao rosto um pedaço de jornal; era da *Folha da Tarde* e mostrava fotografias da rendição dos alemães. Inquieto, Ralf Schmidt saiu a caminhar. Encontrou uma estrada e andou por ela, até chegar à cidade de Porto Alegre.

Nessa cidade Ralf Schmidt tinha um irmão. Conseguiu descobrir a casa onde ele morava. Foi recebido pela cunhada, que o tratou mal e disse que não podia recebê-lo, porque ia para Torres tomar banhos de sol.

O ex-soldado foi morar no sopé do Morro da Velha, estabelecendo-se com bar e armazém. Os vizinhos conheciam-no pelo apelido de "Alemão"; era um homem calvo, gordo, de aguados olhos azuis. Usava um avental muito limpo e falava pouco, especialmente sobre seu passado.

Depois de algum tempo casou-se com Maria, a bela empregada do bar. Com suas irmãs Marieta e Madalena, Maria formava o trio das mulatas sensuais. Essa mulher alta e enérgica deu-lhe três filhos: Fritz, Johan e Peter. Só o pai os chamava por estes nomes, mas evitava fazê-lo na presença de estranhos. Todas as pessoas, inclusive a mãe, os conheciam por Francisco, João e Pedro. Tinham entre si pequenas diferenças de idade. Eram parecidos com o pai, loiros, de olhos azuis e bocas caídas. Eram muito apegados a Ralf; nas noites de inverno fechavam a porta do bar e sentavam-se para tomar chope – mesmo o pequeno Peter, que tinha apenas oito anos. Nessas ocasiões o pai relembrava passagens da Segunda Guerra Mundial; e seus olhos se enchiam de lágrimas ao narrar a batalha de Capão da Canoa. Os filhos ouviam em silêncio, tomando o chope a pequenos goles. A mãe nunca participava nessas reuniões; estava com o vizinho, um jovem mulato que era chofer de táxi e morava sozinho. Ao cair da noite ela pulava a cerca de madeira que separava as duas casas e desaparecia. Voltava de madrugada, cambaleando e cantando alto. Ralf Schmidt nada dizia, mas seu rosto se fechava. Os filhos comentavam:

– O pai sofre.

– Ele não merece, foi um soldado valente.

– Essa mulher é má.

Temiam-na e ficavam em silêncio quando ela se aproximava.

Breve seria o aniversário de Ralf Schmidt. Os filhos queriam lhe dar um presente – algo que o indenizasse dos sofrimentos. Discutiam a respeito. Johan, o mais inteligente dos três, teve uma ideia...

Na mesma rua morava um velho judeu chamado Samuel. Era um homem trêmulo e esquisito; costumava entrar no bar para insultar Ralf Schmidt; cuspia no chão e saía falando alto, na língua dos judeus. Ralf Schmidt suportava as ofensas do velho; explicava aos filhos que não queria complicações e dava a entender que tinha boas razões para isso. Mas os rapazes percebiam que o pai se continha a custo.

O aniversário de Ralf Schmidt coincide com o primeiro dia de carnaval. Ao cair da noite descem do Morro da Velha os primeiros blocos. Os foliões, em alegres fantasias coloridas, passam pelo bar a caminho da cidade. Ralf Schmidt está atrás do balcão, suando muito e servindo cerveja. Não gosta do carnaval; teme que os fregueses bebam demais e depredem o estabelecimento. Por volta das onze, Maria aparece, vestida de cigana, e diz que vai sair. O mulato, fantasiado de índio Charrua, espera-a na rua. Lá dentro os meninos se disfarçam também, de bandoleiros. Colocam lenços escuros no rosto. Depois saem também.

É tarde, mas há muita gente na rua. Os três correm entre os foliões, chegam à casa do velho Samuel. Batem à porta com violência.

– Quem é? – pergunta o velho, sem abrir a porta.
– Polícia! Gestapo!

O velho aparece, de bengala na mão. Fritz empurra-o para dentro. Entram e fecham a porta. Amarram Samuel, amordaçam-no.

– Agora – diz Fritz, ofegante – vamos sair. Tu vais com a gente, velho. E não tenta bancar o espertinho, ouviste? Porque eu te degolo.

Introduz a mão sob a blusa e extrai uma faca comprida, afiada – a faca que o pai usa para cortar presunto.

Johan bota no rosto de Samuel um lenço parecido ao que usa.

– Assim ficamos parecendo um bloco de carnaval.
– Boa ideia – aprova Fritz.

Saem à rua, misturam-se à multidão. Um soldado os olha.

– Pula, velho – diz Fritz ao ouvido do velho, espeta-o disfarçadamente com a faca. Apavorado, Samuel se põe a pular desajeitadamente. E pulando e trotando os quatro chegam ao bar. Já está fechado.

– O pai deve estar dormindo.
– Não faz mal. Depois a gente chama ele.

Entram pelo portão do lado, dirigem-se ao pátio dos fundos.

Avançam em silêncio entre o capim crescido. Finalmente, detêm-se diante da churrasqueira. Foi

Maria, grande apreciadora de carne assada e bem temperada, que mandou construí-la. É enorme, tem uma grade de ferro e uma chaminé.

– Te lembras do forno crematório, judeu? – pergunta Johan, piscando o olho para os irmãos.

O velho luta desesperadamente para escapar.

– Acendam o fogo – diz Johan. – Depois podem chamar o pai, para ele ver a lição que estamos dando a este velho sem-vergonha.

Está tudo preparado: há gravetos, lenha, uma lata de querosene. Logo as chamas se elevam. Os três trocam gracejos e riem.

De repente o velho escapa e sai correndo pelo pátio. Não vai longe, porém: tropeça e cai. Os irmãos encontram-no de borco no capim. Fritz vira-o; à luz da Lua notam um grande ferimento na testa, no lugar onde ele batera numa pedra.

– Está morto? – pergunta Johan.

– Está – a voz de Fritz é trêmula.

– Mas nós só queríamos assustar ele, não é, Fritz? Só assustar. E mostrar ele assustado para o pai. A gente só queria que o pai se divertisse, não é? – Johan está apavorado. – E agora? Se a polícia descobre? E se faz perguntas ao pai?

Fritz não responde. Está pensando.

– Temos de esconder o velho – diz por fim.

– Onde?

– Lá, perto da churrasqueira.

O pequeno Peter começa a chorar. Fritz manda que ele entre em casa. Levam o corpo para junto da churrasqueira, examinam-no à luz das chamas. Está mesmo morto, constata Fritz, e, apertando os lábios, puxa a faca.

– Que vai fazer? – pergunta Johan, assustado.

– Cortar em pedaços pequenos.

– Para quê? – Johan recua.

– Fica mais fácil de esconder – diz Fritz bruscamente. – Nós temos de fazer isto, não vê? Pensa no pai.

Tiram a roupa do velho, jogam-na às chamas. Os braços balançam no ar, batem no rosto deles. Estendem o corpo sobre a grande mesa de madeira. Johan, nauseado, vê – como num pesadelo – Fritz cortar a cabeça do velho e guardá-la num saco de aniagem. Respira fundo.

– Vai ser difícil arrancar as pernas. A gente precisava de uma serra para os ossos. Posso ir buscar.

– Não precisa. Eu desosso ele que nem galeto.

– Mas ele é muito maior. – O mal-estar de Johan está passando; é substituído aos poucos por uma espécie de fria curiosidade.

– Os ossinhos são fracos como os de galeto. Olha como arranco a coxa toda. – Fritz sobe na mesa para trabalhar melhor.

À luz das chamas Johan nota uma saliência nas calças do irmão.

– Estás de pau duro, Fritz! Já és homem! – diz, admirado.

– Não sabias?

Calam-se; ouviram um ruído. Um vulto aparece sobre a cerca e pula para o pátio com uma praga abafada.

— É a mãe – murmura Johan.

— Esconde o saco; não, deixa que eu escondo. Apaga o fogo.

Maria avista-os, caminha para eles cambaleando.

— Ué, vocês ainda estão acordados, sacaninhas? Que estão fazendo aí?

Olha as postas sangrentas, maravilha-se:

— Ah! Estão fazendo churrasco!

Os irmãos não respondem.

— Muito bem! Até que um dia aprenderam alguma coisa que prestasse.

Fritz e Johan a olham. Maria ri.

— Então! Sai churrasco ou não sai? Botem a carne no fogo! E temperem bem.

Os rapazes hesitam.

— Como é? – insiste ela, sentando-se.

Fritz e Johan põem-se a trabalhar, enfiando na cos de carne no espeto. A mãe deixa cair a cabeça sobre a mesa e ronca sonoramente. Às vezes acorda resmungando:

— Como é? É para hoje?

Os rapazes trabalham em silêncio.

As luzes da casa se acendem, a porta dos fundos se abre e Ralf Schmidt aparece, gritando:

— Quem está aí?

— Vem para cá, Ralf! – Maria dá uma risada. – Teus filhos estão fazendo churrasco, homem!

Ele se aproxima, desconfiado. Maria dá um tapa na testa:

— Ah! Agora já sei para quem é o churrasco! É para ti, Ralf! Estás de aniversário!

– É verdade... – diz o marido, ainda ressabiado.

– É o teu aniversário, sacana! – Maria ri. – E eu nem me lembrava! Mas os teus filhos não esquecem!

Subitamente enraivecida, dá um murro na mesa.

– Do meu aniversário eles nunca se lembram! Do teu, sim. Eles se consideram *teus* filhos, não meus! É tudo alemão como tu!

Gotas de gordura caem crepitando sobre as brasas.

– Quero comer! – berra Maria.

Vai até a churrasqueira cambaleando, corta um pedaço de carne, morde-o com vontade.

– Ui! Está quente!

Olha o marido e os filhos:

– Por que estão parados aí, seus molengas? Vamos sentar e comer! Não é todo dia que tem churrasco aqui!

Ocorre-lhe uma ideia:

– Francisco! Vai chamar o nosso vizinho! E tu, João, traz o Pedro. Ele é pequeno, mas também merece um bom churrasco. Caminha, guri!

Todos se movem ativamente. Maria vai até a cozinha, traz pratos, talheres e cerveja. O chofer aparece um pouco constrangido:

– Boa noite...

– Cumprimenta meu marido – diz Maria. – Está de aniversário.

– Meus parabéns, Alemão. – Aponta para a carne. – É de ovelha?

– Para que queres saber? – a mulher ri, piscando o olho. – A cavalo dado não se olha o dente.

Sentam-se à mesa. Maria come com apetite.

De repente Fritz se levanta, seu rosto se contrai, ele solta um gemido agudo.

– Senta, animal! – grita Maria irritada. Mas logo se arrepende e pergunta, solícita: – Está sentindo alguma coisa, meu filho? Vai ver que a carne fez mal para ele, coitado. Não está acostumado. Também, nesta casa nunca se faz churrasco: eu sabia que assim as coisas não iam terminar bem.

Fritz explode de dor. Grita, corre de um lado para outro como uma fera enjaulada, empunhando a faca de churrasco como se fosse uma espada.

– O gládio de Deus! – berra, com os olhos arregalados, e ninguém entende o que ele está falando.

XXX

Tendo conhecido a turma de Mali e Lúcio, Joel foi convidado a ir para Torres com eles; isso era muito significativo. "Estou começando a subir na vida", pensou Joel, satisfeito. Era o primeiro dia do carnaval; Joel colocou seus óculos escuros espanhóis e foi no carro de Mali. Ela não passava de uma loirinha de nariz arrebitado, mas o carro esporte era importado e voava pela estrada. Na praia, Joel abraçou-a; ela topou. Quando vestiu o maiô e correu para a água, Joel examinou-a, concluindo com satisfação: "Não é ruim de corpo! E pode até ser perneta, com a nota que ela tem". Entrou no carro, ligou o rádio a todo o volume: "Meu Deus do céu, isto é que é vida". Voltaram a Porto Alegre e à noite foram ao clube pular um pouco. Joel não era sócio; teve de dar uma gorjeta ao porteiro e ficou sem dinheiro. Sentado na mesa ficou imaginando um modo de não pagar a despesa. Resolveu pedir um bife bem grande e sangrento; esperava que as energias do animal, agora jazendo em seu prato, lhe impregnassem as fibras e lhe dessem coragem. "Meu pai faz churrasco muito bem", murmurou-lhe Mali ao ouvido. Joel tomou uísque puro e sentiu-se mal. "Ele está verde", disse a esposa de Lúcio. "Não tem dinheiro para pagar a conta", ajuntou Lúcio, e todos riram. Lúcio era o irmão mais velho de Mali, e veterinário. Joel achava que podia confiar nele, mas não tinha certeza.

Joel acompanhou Mali até a casa, um sombrio palacete de colunatas de mármore nos Moinhos de Vento. No jardim, Mali falou sobre sua vida. Joel a ouviu olhando para a piscina: na água límpida flutuava um sapo morto. "Sempre fui infeliz", dizia Mali. E contava: o pai não ligava aos filhos; só pensava numa égua chamada "Maliciosa", animal misterioso que jamais alguém havia visto. "Quantos cavalos teria o carro esporte?", pensava Joel. "O meu próprio nome", dizia Mali, "é uma homenagem a essa égua maldita: duas sílabas do nome dela".

Mali contou ainda que seu grande sonho era fazer carreira como cantora de televisão, mas que a família era contra. Disse que uma vez seu pai lhe batera tanto que ela ficara com dor nas costas uma semana e que desde então suas regras não vinham mais no dia certo. Dizia isso e chorava. "Ela está gambá", pensou Joel. "E eu estou de saco cheio." Mas olhou para a moça e sentiu-se cheio de ternura por aquela criaturinha frágil. Abraçou-a. Deitaram-se na grama ainda quente. A mão dele se introduziu sob a blusa dela; ela fechou os olhos, arfando; ele se deitou sobre ela...

Quando se levantaram, Mali disse que era melhor que ele não aparecesse mais; que compreendesse – eram de ambientes diferentes e ela não queria fazê-lo sofrer. Continuariam amigos, nada mais.

Joel caminhou até seu automóvel, que estava estacionado mais adiante – um *Karmann Ghia*. "Quem deve ter um *Karmann Ghia*?" – perguntavam os anúncios da época. "Pode ser um engenheiro. Ou um economista. General ou industrial." Joel deu a partida e arrancou lentamente, sem saber para onde ir. Desceu a Rua Fernandes Vieira. Começava a amanhecer. Joel olhou uma pomba pousada sobre o asfalto. Imóvel, ela fixava nele um olho duro como um grão. Joel passou entre os edifícios adormecidos, ouvindo os ecos de grandes batalhas. Olhou o relógio: "São cinco horas e tudo vai bem", murmurou. "A guerra terminou".

Subiu o Caminho do Meio; passou por Petrópolis e as Três Figueiras, olhando palacetes e edifícios. De repente sentiu vontade de tomar um chimarrão com seu pai, um mate bem amargo, sem balas de mel. Falariam sobre Shendl e Nathan, sobre "Malke Tube" e "Melâmpio", sobre Iente, Rosa e Raquel, sobre o Colégio Iídiche, sobre *kneidlech* e *latkes*. Cantariam em iídiche e dançariam como as casinhas da Avenida Cauduro em seu sonho. E falariam sobre todos, os vivos, e também os mortos: "Que importa se morreram? Guerra é guerra!".

Coleção L&PM POCKET (Lançamentos mais recentes)

- 920(20). **Virginia Woolf** – Alexandra Lemasson
- 921. **Peter e Wendy** *seguido de* **Peter Pan em Kensington Gardens** – J. M. Barrie
- 922. **Aline: numas de colegial (5)** – Adão Iturrusgarai
- 923. **Uma dose mortal** – Agatha Christie
- 924. **Os trabalhos de Hércules** – Agatha Christie
- 926. **Kant** – Roger Scruton
- 927. **A inocência do Padre Brown** – G.K. Chesterton
- 928. **Casa Velha** – Machado de Assis
- 929. **Marcas de nascença** – Nancy Huston
- 930. **Aulete de bolso**
- 931. **Hora Zero** – Agatha Christie
- 932. **Morte na Mesopotâmia** – Agatha Christie
- 934. **Nem te conto, João** – Dalton Trevisan
- 935. **As aventuras de Huckleberry Finn** – Mark Twain
- 936(21). **Marilyn Monroe** – Anne Plantagenet
- 937. **China moderna** – Rana Mitter
- 938. **Dinossauros** – David Norman
- 939. **Louca por homem** – Claudia Tajes
- 940. **Amores de alto risco** – Walter Riso
- 941. **Jogo de damas** – David Coimbra
- 942. **Filha é filha** – Agatha Christie
- 943. **M ou N?** – Agatha Christie
- 945. **Bidu: diversão em dobro!** – Mauricio de Sousa
- 946. **Fogo** – Anaïs Nin
- 947. **Rum: diário de um jornalista bêbado** – Hunter Thompson
- 948. **Persuasão** – Jane Austen
- 949. **Lágrimas na chuva** – Sergio Faraco
- 950. **Mulheres** – Bukowski
- 951. **Um pressentimento funesto** – Agatha Christie
- 952. **Cartas na mesa** – Agatha Christie
- 954. **O lobo do mar** – Jack London
- 955. **Os gatos** – Patricia Highsmith
- 956(22). **Jesus** – Christiane Rancé
- 957. **História da medicina** – William Bynum
- 958. **O Morro dos Ventos Uivantes** – Emily Brontë
- 959. **A filosofia na era trágica dos gregos** – Nietzsche
- 960. **Os treze problemas** – Agatha Christie
- 961. **A massagista japonesa** – Moacyr Scliar
- 963. **Humor do miserê** – Nani
- 964. **Todo o mundo tem dúvida, inclusive você** – Édison de Oliveira
- 965. **A dama do Bar Nevada** – Sergio Faraco
- 969. **O psicopata americano** – Bret Easton Ellis
- 970. **Ensaios de amor** – Alain de Botton
- 971. **O grande Gatsby** – F. Scott Fitzgerald
- 972. **Por que não sou cristão** – Bertrand Russell
- 973. **A Casa Torta** – Agatha Christie
- 974. **Encontro com a morte** – Agatha Christie
- 975(23). **Rimbaud** – Jean-Baptiste Baronian
- 976. **Cartas na rua** – Bukowski
- 977. **Memória** – Jonathan K. Foster
- 978. **A abadia de Northanger** – Jane Austen
- 979. **As pernas de Úrsula** – Claudia Tajes
- 980. **Retrato inacabado** – Agatha Christie
- 981. **Solanin (1)** – Inio Asano
- 982. **Solanin (2)** – Inio Asano
- 983. **Aventuras de menino** – Mitsuru Adachi
- 984(16). **Fatos & mitos sobre sua alimentação** – Dr. Fernando Lucchese
- 985. **Teoria quântica** – John Polkinghorne
- 986. **O eterno marido** – Fiódor Dostoiévski
- 987. **Um safado em Dublin** – J. P. Donleavy
- 988. **Mirinha** – Dalton Trevisan
- 989. **Akhenaton e Nefertiti** – Carmen Seganfredo e A. S. Franchini
- 990. **On the Road – o manuscrito original** – Jack Kerouac
- 991. **Relatividade** – Russell Stannard
- 992. **Abaixo de zero** – Bret Easton Ellis
- 993(24). **Andy Warhol** – Mériam Korichi
- 995. **Os últimos casos de Miss Marple** – Agatha Christie
- 996. **Nico Demo: Aí vem encrenca** – Mauricio de Sousa
- 998. **Rousseau** – Robert Wokler
- 999. **Noite sem fim** – Agatha Christie
- 1000. **Diários de Andy Warhol (1)** – Editado por Pat Hackett
- 1001. **Diários de Andy Warhol (2)** – Editado por Pat Hackett
- 1002. **Cartier-Bresson: o olhar do século** – Pierre Assouline
- 1003. **As melhores histórias da mitologia: vol. 1** – A.S. Franchini e Carmen Seganfredo
- 1004. **As melhores histórias da mitologia: vol. 2** – A.S. Franchini e Carmen Seganfredo
- 1005. **Assassinato no beco** – Agatha Christie
- 1006. **Convite para um homicídio** – Agatha Christie
- 1008. **História da vida** – Michael J. Benton
- 1009. **Jung** – Anthony Stevens
- 1010. **Arsène Lupin, ladrão de casaca** – Maurice Leblanc
- 1011. **Dublinenses** – James Joyce
- 1012. **120 tirinhas da Turma da Mônica** – Mauricio de Sousa
- 1013. **Antologia poética** – Fernando Pessoa
- 1014. **A aventura de um cliente ilustre** *seguido de* **O último adeus de Sherlock Holmes** – Sir Arthur Conan Doyle
- 1015. **Cenas de Nova York** – Jack Kerouac
- 1016. **A corista** – Anton Tchékhov
- 1017. **O diabo** – Leon Tolstói
- 1018. **Fábulas chinesas** – Sérgio Capparelli e Márcia Schmaltz
- 1019. **O gato do Brasil** – Sir Arthur Conan Doyle
- 1020. **Missa do Galo** – Machado de Assis
- 1021. **O mistério de Marie Rogêt** – Edgar Allan Poe
- 1022. **A mulher mais linda da cidade** – Bukowski
- 1023. **O retrato** – Nicolai Gogol
- 1024. **O conflito** – Agatha Christie

1025. Os primeiros casos de Poirot – Agatha Christie
1027(25). Beethoven – Bernard Fauconnier
1028. Platão – Julia Annas
1029. Cleo e Daniel – Roberto Freire
1030. Til – José de Alencar
1031. Viagens na minha terra – Almeida Garrett
1032. Profissões para mulheres e outros artigos feministas – Virginia Woolf
1033. Mrs. Dalloway – Virginia Woolf
1034. O cão da morte – Agatha Christie
1035. Tragédia em três atos – Agatha Christie
1037. O fantasma da Ópera – Gaston Leroux
1038. Evolução – Brian e Deborah Charlesworth
1039. Medida por medida – Shakespeare
1040. Razão e sentimento – Jane Austen
1041. A obra-prima ignorada *seguido de* Um episódio durante o Terror – Balzac
1042. A fugitiva – Anaïs Nin
1043. As grandes histórias da mitologia greco-romana – A. S. Franchini
1044. O corno de si mesmo & outras historietas – Marquês de Sade
1045. Da felicidade *seguido de* Da vida retirada – Sêneca
1046. O horror em Red Hook e outras histórias – H. P. Lovecraft
1047. Noite em claro – Martha Medeiros
1048. Poemas clássicos chineses – Li Bai, Du Fu e Wang Wei
1049. A terceira moça – Agatha Christie
1050. Um destino ignorado – Agatha Christie
1051(26). Buda – Sophie Royer
1052. Guerra Fria – Robert J. McMahon
1053. Simons's Cat: as aventuras de um gato travesso e comilão – vol. 1 – Simon Tofield
1054. Simons's Cat: as aventuras de um gato travesso e comilão – vol. 2 – Simon Tofield
1055. Só as mulheres e as baratas sobreviverão – Claudia Tajes
1057. Pré-história – Chris Gosden
1058. Pintou sujeira! – Mauricio de Sousa
1059. Contos de Mamãe Gansa – Charles Perrault
1060. A interpretação dos sonhos: vol. 1 – Freud
1061. A interpretação dos sonhos: vol. 2 – Freud
1062. Frufru Ratapã Dolores – Dalton Trevisan
1063. As melhores histórias da mitologia egípcia – Carmem Seganfredo e A.S. Franchini
1064. Infância. Adolescência. Juventude – Tolstói
1065. As consolações da filosofia – Alain de Botton
1066. Diários de Jack Kerouac – 1947-1954
1067. Revolução Francesa – vol. 1 – Max Gallo
1068. Revolução Francesa – vol. 2 – Max Gallo
1069. O detetive Parker Pyne – Agatha Christie
1070. Memórias do esquecimento – Flávio Tavares
1071. Drogas – Leslie Iversen
1072. Manual de ecologia (vol.2) – J. Lutzenberger
1073. Como andar no labirinto – Affonso Romano de Sant'Anna
1074. A orquídea e o serial killer – Juremir Machado da Silva
1075. Amor nos tempos de fúria – Lawrence Ferlinghetti
1076. A aventura do pudim de Natal – Agatha Christie
1078. Amores que matam – Patricia Faur
1079. Histórias de pescador – Mauricio de Sousa
1080. Pedaços de um caderno manchado de vinho – Bukowski
1081. A ferro e fogo: tempo de solidão (vol.1) – Josué Guimarães
1082. A ferro e fogo: tempo de guerra (vol.2) – Josué Guimarães
1084(17). Desembarcando o Alzheimer – Dr. Fernando Lucchese e Dra. Ana Hartmann
1085. A maldição do espelho – Agatha Christie
1086. Uma breve história da filosofia – Nigel Warburton
1088. Heróis da História – Will Durant
1089. Concerto campestre – L. A. de Assis Brasil
1090. Morte nas nuvens – Agatha Christie
1092. Aventura em Bagdá – Agatha Christie
1093. O cavalo amarelo – Agatha Christie
1094. O método de interpretação dos sonhos – Freud
1095. Sonetos de amor e desamor – Vários
1096. 120 tirinhas do Dilbert – Scott Adams
1097. 200 fábulas de Esopo
1098. O curioso caso de Benjamin Button – F. Scott Fitzgerald
1099. Piadas para sempre: uma antologia para morrer de rir – Visconde da Casa Verde
1100. Hamlet (Mangá) – Shakespeare
1101. A arte da guerra (Mangá) – Sun Tzu
1104. As melhores histórias da Bíblia (vol.1) – A. S. Franchini e Carmen Seganfredo
1105. As melhores histórias da Bíblia (vol.2) – A. S. Franchini e Carmen Seganfredo
1106. Psicologia das massas e análise do eu – Freud
1107. Guerra Civil Espanhola – Helen Graham
1108. A autoestrada do sul e outras histórias – Julio Cortázar
1109. O mistério dos sete relógios – Agatha Christie
1110. Peanuts: Ninguém gosta de mim... (amor) – Charles Schulz
1111. Cadê o bolo? – Mauricio de Sousa
1112. O filósofo ignorante – Voltaire
1113. Totem e tabu – Freud
1114. Filosofia pré-socrática – Catherine Osborne
1115. Desejo de status – Alain de Botton
1118. Passageiro para Frankfurt – Agatha Christie
1120. Kill All Enemies – Melvin Burgess
1121. A morte da sra. McGinty – Agatha Christie
1122. Revolução Russa – S. A. Smith
1123. Até você, Capitu? – Dalton Trevisan
1124. O grande Gatsby (Mangá) – F. S. Fitzgerald
1125. Assim falou Zaratustra (Mangá) – Nietzsche
1126. Peanuts: É para isso que servem os amigos (amizade) – Charles Schulz
1127(27). Nietzsche – Dorian Astor
1128. Bidu: Hora do banho – Mauricio de Sousa
1129. O melhor do Macanudo Taurino – Santiago
1130. Radicci 30 anos – Iotti

1131. **Show de sabores** – J.A. Pinheiro Machado
1132. **O prazer das palavras** – vol. 3 – Cláudio Moreno
1133. **Morte na praia** – Agatha Christie
1134. **O fardo** – Agatha Christie
1135. **Manifesto do Partido Comunista (Mangá)** – Marx & Engels
1136. **A metamorfose (Mangá)** – Franz Kafka
1137. **Por que você não se casou... ainda** – Tracy McMillan
1138. **Textos autobiográficos** – Bukowski
1139. **A importância de ser prudente** – Oscar Wilde
1140. **Sobre a vontade na natureza** – Arthur Schopenhauer
1141. **Dilbert (8)** – Scott Adams
1142. **Entre dois amores** – Agatha Christie
1143. **Cipreste triste** – Agatha Christie
1144. **Alguém viu uma assombração?** – Mauricio de Sousa
1145. **Mandela** – Elleke Boehmer
1146. **Retrato do artista quando jovem** – James Joyce
1147. **Zadig ou o destino** – Voltaire
1148. **O contrato social (Mangá)** – J.-J. Rousseau
1149. **Garfield fenomenal** – Jim Davis
1150. **A queda da América** – Allen Ginsberg
1151. **Música na noite & outros ensaios** – Aldous Huxley
1152. **Poesias inéditas & Poemas dramáticos** – Fernando Pessoa
1153. **Peanuts: Felicidade é...** – Charles M. Schulz
1154. **Mate-me por favor** – Legs McNeil e Gillian McCain
1155. **Assassinato no Expresso Oriente** – Agatha Christie
1156. **Um punhado de centeio** – Agatha Christie
1157. **A interpretação dos sonhos (Mangá)** – Freud
1158. **Peanuts: Você não entende o sentido da vida** – Charles M. Schulz
1159. **A dinastia Rothschild** – Herbert L. Lottman
1160. **A Mansão Hollow** – Agatha Christie
1161. **Nas montanhas da loucura** – H.P. Lovecraft
1162. (28). **Napoleão Bonaparte** – Pascale Fautrier
1163. **Um corpo na biblioteca** – Agatha Christie
1164. **Inovação** – Mark Dodgson e David Gann
1165. **O que toda mulher deve saber sobre os homens: a afetividade masculina** – Walter Riso
1166. **O amor está no ar** – Mauricio de Sousa
1167. **Testemunha de acusação & outras histórias** – Agatha Christie
1168. **Etiqueta de bolso** – Celia Ribeiro
1169. **Poesia reunida (volume 3)** – Affonso Romano de Sant'Anna
1170. **Emma** – Jane Austen
1171. **Que seja em segredo** – Ana Miranda
1172. **Garfield sem apetite** – Jim Davis
1173. **Garfield: Foi mal...** – Jim Davis
1174. **Os irmãos Karamázov (Mangá)** – Dostoiévski
1175. **O Pequeno Príncipe** – Antoine de Saint-Exupéry
1176. **Peanuts: Ninguém mais tem o espírito aventureiro** – Charles M. Schulz
1177. **Assim falou Zaratustra** – Nietzsche
1178. **Morte no Nilo** – Agatha Christie
1179. **Ê, soneca boa** – Mauricio de Sousa
1180. **Garfield a todo o vapor** – Jim Davis
1181. **Em busca do tempo perdido (Mangá)** – Proust
1182. **Cai o pano: o último caso de Poirot** – Agatha Christie
1183. **Livro para colorir e relaxar** – Livro 1
1184. **Para colorir sem parar**
1185. **Os elefantes não esquecem** – Agatha Christie
1186. **Teoria da relatividade** – Albert Einstein
1187. **Compêndio da psicanálise** – Freud
1188. **Visões de Gerard** – Jack Kerouac
1189. **Fim de verão** – Mohiro Kitoh
1190. **Procurando diversão** – Mauricio de Sousa
1191. **E não sobrou nenhum e outras peças** – Agatha Christie
1192. **Ansiedade** – Daniel Freeman & Jason Freeman
1193. **Garfield: pausa para o almoço** – Jim Davis
1194. **Contos do dia e da noite** – Guy de Maupassant
1195. **O melhor de Hagar 7** – Dik Browne
1196. (29). **Lou Andreas-Salomé** – Dorian Astor
1197. (30). **Pasolini** – René de Ceccatty
1198. **O caso do Hotel Bertram** – Agatha Christie
1199. **Crônicas de motel** – Sam Shepard
1200. **Pequena filosofia da paz interior** – Catherine Rambert
1201. **Os sertões** – Euclides da Cunha
1202. **Treze à mesa** – Agatha Christie
1203. **Bíblia** – John Riches
1204. **Anjos** – David Albert Jones
1205. **As tirinhas do Guri de Uruguaiana 1** – Jair Kobe
1206. **Entre aspas (vol.1)** – Fernando Eichenberg
1207. **Escrita** – Andrew Robinson
1208. **O spleen de Paris: pequenos poemas em prosa** – Charles Baudelaire
1209. **Satíricon** – Petrônio
1210. **O avarento** – Molière
1211. **Queimando na água, afogando-se na chama** – Bukowski
1212. **Miscelânea septuagenária: contos e poemas** – Bukowski
1213. **Que filosofar é aprender a morrer e outros ensaios** – Montaigne
1214. **Da amizade e outros ensaios** – Montaigne
1215. **O medo à espreita e outras histórias** – H.P. Lovecraft
1216. **A obra de arte na era de sua reprodutibilidade técnica** – Walter Benjamin
1217. **Sobre a liberdade** – John Stuart Mill
1218. **O segredo de Chimneys** – Agatha Christie
1219. **Morte na rua Hickory** – Agatha Christie
1220. **Ulisses (Mangá)** – James Joyce
1221. **Ateísmo** – Julian Baggini
1222. **Os melhores contos de Katherine Mansfield** – Katherine Mansfied
1223. (31). **Martin Luther King** – Alain Foix
1224. **Millôr Definitivo: uma antologia de** *A Bíblia do Caos* – Millôr Fernandes

1225. **O Clube das Terças-Feiras e outras histórias** – Agatha Christie
1226. **Por que sou tão sábio** – Nietzsche
1227. **Sobre a mentira** – Platão
1228. **Sobre a leitura** *seguido do* **Depoimento de Céleste Albaret** – Proust
1229. **O homem do terno marrom** – Agatha Christie
1230.(32).**Jimi Hendrix** – Franck Médioni
1231. **Amor e amizade e outras histórias** – Jane Austen
1232. **Lady Susan, Os Watson e Sanditon** – Jane Austen
1233. **Uma breve história da ciência** – William Bynum
1234. **Macunaíma: o herói sem nenhum caráter** – Mário de Andrade
1235. **A máquina do tempo** – H.G. Wells
1236. **O homem invisível** – H.G. Wells
1237. **Os 36 estratagemas: manual secreto da arte da guerra** – Anônimo
1238. **A mina de ouro e outras histórias** – Agatha Christie
1239. **Pic** – Jack Kerouac
1240. **O habitante da escuridão e outros contos** – H.P. Lovecraft
1241. **O chamado de Cthulhu e outros contos** – H.P. Lovecraft
1242. **O melhor de Meu reino por um cavalo!** – Edição de Ivan Pinheiro Machado
1243. **A guerra dos mundos** – H.G. Wells
1244. **O caso da criada perfeita e outras histórias** – Agatha Christie
1245. **Morte por afogamento e outras histórias** – Agatha Christie
1246. **Assassinato no Comitê Central** – Manuel Vázquez Montalbán
1247. **O papai é pop** – Marcos Piangers
1248. **O papai é pop 2** – Marcos Piangers
1249. **A mamãe é rock** – Ana Cardoso
1250. **Paris boêmia** – Dan Franck
1251. **Paris libertária** – Dan Franck
1252. **Paris ocupada** – Dan Franck
1253. **Uma anedota infame** – Dostoiévski
1254. **O último dia de um condenado** – Victor Hugo
1255. **Nem só de caviar vive o homem** – J.M. Simmel
1256. **Amanhã é outro dia** – J.M. Simmel
1257. **Mulherzinhas** – Louisa May Alcott
1258. **Reforma Protestante** – Peter Marshall
1259. **História econômica global** – Robert C. Allen
1260.(33).**Che Guevara** – Alain Foix
1261. **Câncer** – Nicholas James
1262. **Akhenaton** – Agatha Christie
1263. **Aforismos para a sabedoria de vida** – Arthur Schopenhauer
1264. **Uma história do mundo** – David Coimbra
1265. **Ame e não sofra** – Walter Riso
1266. **Desapegue-se!** – Walter Riso
1267. **Os Sousa: Uma família do barulho** – Mauricio de Sousa
1268. **Nico Demo: O rei da travessura** – Mauricio de Sousa
1269. **Testemunha de acusação e outras peças** – Agatha Christie
1270.(34).**Dostoiévski** – Virgil Tanase
1271. **O melhor de Hagar 8** – Dik Browne
1272. **O melhor de Hagar 9** – Dik Browne
1273. **O melhor de Hagar 10** – Dik e Chris Browne
1274. **Considerações sobre o governo representativo** – John Stuart Mill
1275. **O homem Moisés e a religião monoteísta** – Freud
1276. **Inibição, sintoma e medo** – Freud
1277. **Além do princípio de prazer** – Freud
1278. **O direito de dizer não!** – Walter Riso
1279. **A arte de ser flexível** – Walter Riso
1280. **Casados e descasados** – August Strindberg
1281. **Da Terra à Lua** – Júlio Verne
1282. **Minhas galerias e meus pintores** – Kahnweiler
1283. **A arte do romance** – Virginia Woolf
1284. **Teatro completo v. 1: As aves da noite** *seguido de* **O visitante** – Hilda Hilst
1285. **Teatro completo v. 2: O verdugo** *seguido de* **A morte do patriarca** – Hilda Hilst
1286. **Teatro completo v. 3: O rato no muro** *seguido de* **Auto da barca de Camiri** – Hilda Hilst
1287. **Teatro completo v. 4: A empresa** *seguido de* **O novo sistema** – Hilda Hilst
1288. **Sapiens: Uma breve história da humanidade** – Yuval Noah Harari
1289. **Fora de mim** – Martha Medeiros
1290. **Divã** – Martha Medeiros
1291. **Sobre a genealogia da moral: um escrito polêmico** – Nietzsche
1292. **A consciência de Zeno** – Italo Svevo
1293. **Células-tronco** – Jonathan Slack
1294. **O fim do ciúme e outros contos** – Proust
1295. **A jangada** – Júlio Verne
1296. **A ilha do dr. Moreau** – H.G. Wells
1297. **Ninho de fidalgos** – Ivan Turguêniev
1298. **Jane Eyre** – Charlotte Brontë
1299. **Sobre gatos** – Bukowski
1300. **Sobre o amor** – Bukowski
1301. **Escrever para não enlouquecer** – Bukowski
1302. **222 receitas** – J. A. Pinheiro Machado
1303. **Reinações de Narizinho** – Monteiro Lobato
1304. **O Saci** – Monteiro Lobato
1305. **Memórias da Emília** – Monteiro Lobato
1306. **O Picapau Amarelo** – Monteiro Lobato
1307. **A reforma da Natureza** – Monteiro Lobato
1308. **Fábulas** *seguido de* **Histórias diversas** – Monteiro Lobato
1309. **Aventuras de Hans Staden** – Monteiro Lobato
1310. **Peter Pan** – Monteiro Lobato
1311. **Dom Quixote das crianças** – Monteiro Lobato
1312. **O Minotauro** – Monteiro Lobato
1313. **Um quarto só seu** – Virginia Woolf
1314. **Sonetos** – Shakespeare

lepmeditores
www.lpm.com.br
o site que conta tudo

IMPRESSÃO:

PALLOTTI
GRÁFICA

Santa Maria - RS | Fone: (55) 3220.4500
www.graficapallotti.com.br